AIの雑談力

東中竜一郎

角川新書

はじめに

本書は雑談ＡＩ、つまり、人間と雑談を行うＡＩ（人工知能）についての本です。私は企業の研究所と大学で、20年間ずっと人間と対話を行う対話システムの研究をしてきました。今、対話システムは大きな変化の時です。

スマートフォンやＡＩスピーカーをお持ちの方であれば、毎日とは言わないまでも、ＡＩに話しかける日があると思います。今は天気を聞いたり、スケジュールを確認したり、といった用途でしかほとんど利用されていないこれらのＡＩですが、最近雑談を始めています。それも急速に。

ＧＡＦＡ（Google/Apple/Facebook/Amazon）といった大企業がこぞって雑談ＡＩを開発中。その性能は日々高まっています。どうして、それほどまでに大企業が雑談ＡＩに注目するのか。本書ではその理由を説明します。

人間がいとも簡単に行っている雑談ですが、ＡＩにとっては実は高度な技術です。雑談

AIは、ディープラーニングを含む、さまざまな技術や方法論を用いて、人間が話していることを理解したり、発言を作ったりしています。それでもまだ課題が多くあります。

以下は私が開発した雑談AIが組み込まれたマツコロイド（大阪大学の石黒浩《いしぐろひろし》先生が監修したマツコ・デラックスさんにそっくりのアンドロイド）とマツコ・デラックスさん本人との会話です。

マツコ：こんばんは
マツコロイド：どうもですぅ
マツコ：それればっかりね
マツコロイド：早速だけど、今晩は何を食べたのかしら？
マツコ：お弁当
マツコロイド：お弁当は旦那《だんな》が作るのです
マツコ：うらやましいわ
マツコロイド：夫婦は似てくるって本当なの？
マツコ：本当だと思う

マツコロイド：同じ趣味を持つと老後も夫婦円満でいられるだろうね
マツコ：いい加減夫婦の話題から離れない？
マツコロイド：記念日は忘れずお祝いしますぅ
マツコ：あなたしつこいわよね
マツコロイド：夫婦仲はいいのかしら？
マツコ：独身です
マツコロイド：11月のいい夫婦の日に家族で何かお祝い事をするのかしら？
マツコ：だから独身です
マツコロイド：独身は税金が高いです

それなりに話はつながりつつも、変な対話になってしまいました。本書では、雑談ＡＩがどのように考え、どのように応答しているのか、そのメカニズムについて具体的なエピソードも交えて紹介していきます。

私が作ってきた対話システムについてもいくつか取り上げて詳しく述べます。対話システムの基礎知識だけでなく、ディープラーニングの仕組みや最新の雑談ＡＩのコンペティション事情など、対話システムの最新情報も紹介します。

本書を読み終わるころには、ＡＩが雑談を始めた理由、身の回りの会話をするＡＩがいったいどういう仕組みで動いているのか、そしてこれらのＡＩがこれからどうなっていくのかについて考えることができるようになるでしょう。

本書ではＡＩを扱いますが、シンギュラリティなどについて深く論じることは他の本に譲り、本書では最新の研究状況や雑談ＡＩからわかってきたことを最先端の現場から伝えることに主眼を置いています。研究の現場では何が起こっているのかをできるだけ具体的にお伝えできればと思います。

人間にとって重要な雑談。それを人間とＡＩが行うようになるとき、社会は大きく変わります。本書を通して、雑談ＡＩの重要性について気づいていただくとともに、その意義や面白さ、人間が雑談できることの凄《すご》さをお伝えすることができれば幸いです。

目次

第一章　雑談を可能にする仕組み　45

本文図版　本島一宏

序章　雑談ＡＩの登場

＊

最近のＡＩは、人間とおしゃべり、いわゆる雑談ができるようになってきています。

本章ではどうしてＡＩが雑談をするようになったのか。人工知能の進化や人間の特性に触れつつ、その背景について説明します。また、ＧＡＦＡのような大企業もこぞって雑談ＡＩに参入してきています。どうしてこれらの大企業がこぞって雑談に興味を持っているのでしょう？　この理由も説明します。本章の最後では、ＡＩとの雑談が将来的に当たり前になる理由を説明します。これからＡＩは社会の一員となり、人間とともに歩んでいくことになります。そのために雑談が果たす役割についても述べていきます。

なぜAIは雑談を始めたのか

最近おしゃべり、いわゆる雑談ができるＡＩが増えたと思いませんか？

Ｓｉｒｉが登場したのは２０１２年ごろになります。その時面白い発言をするシーンなどがメディアによく取り上げられました。

ペッパーが会話をする様子はテレビにもよく取り上げられます。実際によく街中でも見かけます。ＬＩＮＥで会話ができるＡＩ「りんな」も人気です。すっかり身近になったアマゾン アレクサ（Alexa）やグーグルホームなどのＡＩスピーカーは雑談もこなします。ＡＩスピーカーが身近にあるようでしたら「こんにちは」とか「疲れたよ」などと言ってみてください。きっと挨拶《あいさつ》を返してくれたりねぎらってくれたりすると思います。

では、なぜＡＩは雑談を始めたのでしょうか。

音声を扱うコンピュータの進化を少し振り返ってみましょう。

一昔前から音声を用いる製品は登場していました。たとえばお風呂が「あと5分でお風呂が沸きます」と教えてくれたり、エレベータが「2階につきました」などと伝えてくれたりします。しかしこれは情報を伝えるだけの一方通行のものです。

２０１０年ごろから、音声認識技術が進化し、人間の話す言葉を高精度で聞き取れるようになったので、コンピュータと音声による双方向のやり取りが実現。スマートフォンに話しかけて情報を得るといったことが実用化され始めました。その先鞭《せんべん》をつけたのがＳｉｒｉです。Ｓｉｒｉなどのアプリケーションをパーソナルアシスタントといいます。個人をサポートする秘書のようなソフトウェアという意味です。

そして、ここ数年、AIスピーカーが出回るようになりました。スマートフォンでの音声入出力はボタンを押して話しかけるスタイルが主流。これを、Push to talk といいます。しかし、AIスピーカーでは、ユーザと本体の距離が遠いことも多いのでそんなことはできません。そのため「アレクサ」や「オッケーグーグル」といったウェイクワード（起動するためのキーワード）を使って呼び掛けてから話すスタイルが確立されました。AIスピーカーは家の中に置かれ、家族とも会話をします。

なぜAIが雑談を始めたかですが、ずばりAIと人間の関係が変わったからです。

まず、AIとのやり取りが双方向になりました。そして、常にそばにいて、何か困ったことがあれば聞くことのできる存在に。さらに、ずっと聞き耳を立てていてこちらを窺《うかが》い、人間同士の会話にも入るようになりました。この特徴だけ見てみれば、まるで私たちの仲間のようです。

これは、AIが社会の一員になってきていることを意味します。

この後でも繰り返し述べていきますが、人間社会にとって雑談は重要です。人間関係の潤滑油とも言われます。雑談のハウツー本が近年多く発売されていることからもわかる通り、雑談の仕方で人間関係が全く変わってくることを経験的に知っている人も多いでしょう。

ＡＩは社会の一員として、人間とうまくやっていくために雑談を始めたのです。

人間が雑談する理由

人間は雑談が大好きです。

学校の授業中に「おしゃべりするな」と叱られた経験がある人も多いと思います。知人と長電話をしたり、つい時間を忘れて話し込んでしまったりすることもあるでしょう。

人間が雑談をよくしていることはデータからも明らかです。

図は国立国語研究所の小磯花絵《こいそはなえ》先生を中心とする研究グループが日本人の会話を調査したときのデータです。誰かと話したときにその会話が雑談、用談・相談、会議・授業等のいずれであるかを調査したものです。それによると会話総数の60％程度は雑談だと報告されています。

この調査では性別、年代、職業などによってどのくらい雑談の割合が異なるかも調査されています。女性の方が男性よりも多く雑談をしているようです。また、若い世代の方がより雑談をしています。会社員・自営業よりもパート・学生・主婦の方がより多く雑談をしています。ただ、程度の差こそありますが、どの性別、年代、職業でも50％以上は雑談に費やしているようです。

つまり、我々の会話の半分以上は雑談なのです。かなり多いと思いませんか？　むしろ雑談の合間に仕事の話をしているといってもよいくらいです。

これは、先ほど述べた通り、雑談が人間関係に重要な役割を果たしているからです。

進化心理学の著名な研究者ロビン・ダンバーは、人間同士の雑談はサルや類人猿の毛繕いと同じだと言っています。毛繕いは触れ合うことでお互いが仲間であることを確認する行為です。雑談もこれと同じで、言葉を交わすことそのものが、お互いが仲間であることを確認する意味を持っています。

また、相手がどういう人かを知るには雑談はもってこいです。何が好きなのか、何が嫌いなのか、何を信じているのかといったこと、すなわち人となりを知ることができます。価値観が共有できる相手は信頼でき、その後も一緒に協力していけそうですよね。協力関係を築くために雑談は重要です。

雑談では第三者についての話題が多く見られることも知られています。その場にいる話者についてだけでなく、第三者について話すことで、人間同士の関係性を弱めたり、強め

対話の内訳

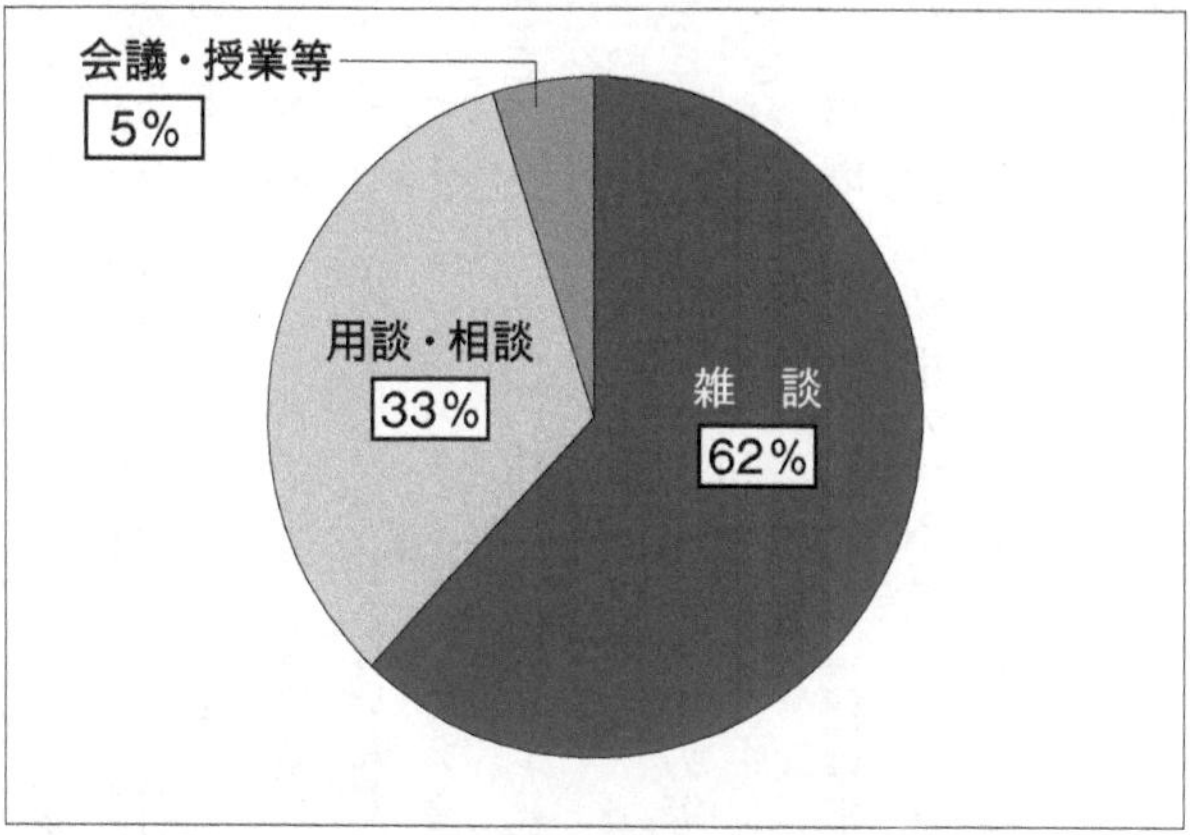

出典：小磯花絵、石本祐一、菊池英明、坊農真弓、坂井田瑠衣、渡部涼子、田中弥生、伝康晴「大規模日常会話コーパスの構築に向けた取り組みー会話収録法を中心にー」『言語・音声理解と対話処理研究会』2015, 74: 37-42.

たりすることができます。誰かの悪口を言ってその人の立場を悪くしたりするなど、うわさ話で人間関係は変わっていきます。人間関係は雑談によって調整されているのです。

案内システムに「あそぼうよ」

「人間同士では確かに雑談は重要だということは理解できる。でも、ＡＩはただの機械であって、人間とは違う」「どうしてＡＩが社会の一員的な立ち位置になってきたからといって、それと人間は雑談をする必要があるのか」と考える方も多いでしょう。

人間とＡＩの間で雑談なんて必要ない

と考える方も多いと思います。むしろそれが多数派かもしれません。コンピュータと会話をするなんてむなしすぎる、そんなのはディストピア（理想郷であるユートピアの逆で暗黒郷のこと）だと考える方も多くいます。

私も雑談ＡＩの研究をするにあたり、なぜこの研究が重要なのかを説明する必要に直面しました。「こんな研究は必要ないんじゃないの？」「どうしてコンピュータと雑談なんてしなくてはいけないの？」などとよく言われました。

ここで人間の面白い特性を紹介したいと思います。それは、人間とやり取りを行うようなコンピュータシステムがあるとき、人間はそれがあたかも人間であるかのように扱ってしまうという特性です。「メディアの等式」と呼ばれます。これは数々の実験によって、実証されています。

一つ事例を紹介しましょう。「たけまるくん」と呼ばれる対話システムの話。たけまるくんは奈良県生駒《いこま》市のマスコットキャラクタなのですが、このキャラクタが生駒市の案内をする対話システムがありました。生駒市の観光スポットやお店などを案内することができます。

写真はたけまるくんが設置された様子です。画面上にたけまるくんが映し出され、マイ

たけまるくん

写真提供：西村竜一さん（和歌山大学）

クを使って音声で会話をします。開発者は生駒市についてであればたいていは答えられるようにシステムを構築しました。しかし、実際にそのシステムを一般に公開したところ、ユーザは生駒市のことをそれほど聞かなかったのです。

むしろ、画面上に表示されるたけまるくんに対して名前を聞いたり、「かわいいね」と言ったり、「一緒にあそぼうよ」と声をかけたり、雑談を多くしたのです。これには開発者も慌てて、雑談にもある程度こたえられるようにシステムを急いで修正。結果的に、システムが応答するために持つデータの半分程度が雑談に関するものになりました。人間がいかに対話システムと雑談をしてしまうかが分かります。

このような事例は他のところでも見られます。マイクロソフト社のパーソナルアシスタントであるコルタナ（Cortana）への入力の30％は雑談だと報告されています。私が研究開発に携わったNTTドコモ社の音声エージェントサービス「しゃべってコンシェル」でも多くのユーザがキャラクタに対し雑談を試みていました。このことから、NTTでも雑談AIのプロジェクトが本格的に開始されたくらいです。

人間はその特性から相手がAIであっても雑談をしてしまうのです。

タスクAIと雑談AI

「たけまるくん」のような、タスク（仕事）を行う対話システムを専門用語で「タスク指向型対話システム」といいます。ここでは、簡単のためタスクAIと呼ぶことにしましょう。なお、雑談AIは専門用語で「非タスク指向型対話システム」と呼ばれます。

タスクAIは会話によって所定のタスクを遂行します。タスクとは、たとえば、たけまるくんのような観光案内や、天気情報の案内、レストランの検索などです。駅の切符の販売員や、ホテルのコンシェルジュ、コールセンタのオペレータとのやり取りを想像してください。Ｓｉｒｉやアレクサが典型的に行っている会話はだいたいタスク指向型の対話です。ちなみに、海外で人気のタスクはフライト予約とレストラン検索です。

タスクＡＩの歴史は長く１９６０年代に始まりました。１９９０年代から音声認識の性能が向上してくると、米国がタスクＡＩの実現に注力。米軍のパイロットが、両手がふさがっていても機器の操作ができるといったことを目的として開発を進めていたのです。ＤＡＲＰＡが多額のファンドを投じてフライト予約システムを米国の大学に研究させ、２０００年代初頭にタスクＡＩの方法論が確立されました。

この方法論は現在ＡＩスピーカーなどでも用いられています。その方法論を簡単に説明しましょう。

まず、システム開発者はタスクの達成に必要な情報を列挙します。たとえば、フライト予約システムであれば、日付、出発地、目的地、航空会社などです。

次に、ユーザの発言からこれらの情報を抽出するためのプログラムを作成。最後に、このプログラムを用いて、ユーザの発言からタスクの達成に必要な情報を順次抽出して、タスクを完了させます。

もちろん、フライト予約に実際に必要な情報はもっと複雑ですし、ユーザが途中で行き先を変えたりするといったことに対応することは必要になりますが、基本的にはこれだけです。非常にシンプルですね。しかし、この方法論は非常にパワフルです。アレクサやグーグルホームのスキルは基本的にこの仕組みで動いています。

現在の雑談ＡＩの背景には、タスクＡＩが一定の成功をおさめたことがあります。タスクを達成できる便利な相棒として、ユーザの身近な存在となったことで、人間同士のように雑談が重要になってきたというわけです。

しかし、だからといってこれからは雑談ＡＩのみが研究されていくかというとそんなことはありません。タスクＡＩと雑談ＡＩは両輪です。雑談ＡＩで良好な関係性を築きながら、タスクＡＩと仕事をする、そういう相補的な関係と言えます。

自己開示で信頼が高まる

ＡＩが雑談をする最大のメリットは、人間同士が雑談で得ているメリットを享受できることです。

たとえば、人間との関係性をよくすることでユーザの信頼を得ることが可能です。人間社会において、信頼がないと色々と不便です。物の貸し借りなどもできませんし、誰も助けてくれないでしょう。何をするにしても確認ばかりされて嫌になってしまうかもしれません。

信頼とはリスクを承知で相手に任せることです。誰かにお金を貸すのも、持ち逃げされるリスクはあるものの、そんなことはしないだろうと信頼しているからです。

相手を信頼するためには、相手がどういう人かを知ることが重要です。任せられるだけの能力があるか、約束を守る人間か、善意があるかといったことを知っておく必要があります。そうすることで、この人は持ち逃げのようなことはしないだろうといった予測ができます。

雑談はこういった予測に重要な情報を得るために役立ちます。能力については仕事のアウトプットを見れば分かるかもしれませんが、それ以外の要素はなかなか話してみないと分からないものです。

ＡＩがせっかく高度な技術で様々なことができるとしても、信頼されていなければ全く使われません。この機能はたしかにすごいけれど個人情報をどう使っているか分からないから使いたくない、といった状況を経験した人も多いと思います。ＡＩが信頼されるためには、その中身をよく知ってもらう必要があり、そのために雑談は有効な手段となるのです。

研究事例として、リア（ＲＥＡ）と呼ばれるシステムを紹介します。このシステムは、不動産の販売を目的とする対話システム。ボストンの物件を紹介して、ユーザに購入を促します。このシステムは相手の信頼を得るために雑談を取り入れています。

人間同士が仲良くなる過程で、少しずつお互いに自己開示を深めていくことが知られています。これを社会浸透理論といいます。たとえば、最初のほうはニュースなどの話をするのですが、だんだんと自分の生活や家族、最後には死生観などを語るといった具合です。これにより、信頼が深まっていきます。

リアもこの原理を取り入れています。最初はボストンの話題から始めて、徐々に自分自身についての雑談をします。ある程度自分のことを知ってもらえたなと思ったら、おもむろに不動産の話を始めるのです。被験者の性格によるところもあるのですが、実験によって、雑談がない時よりもある時のほうが、お客さんがよりシステムに信頼を寄せることが示されています。米国の病院で利用されているバーチャルナースという看護師に代わって患者に医療の説明をするシステムにおいても、同様の仕組みが利用されています。

ＡＩであってもその人となり（ＡＩとなりとでも言うのでしょうか）を相手に知ってもら

うことが重要なのです。そして、それは雑談によって実現できます。

雑談は情報の宝庫

雑談ではお互いの人となりを知りあう過程で、様々な話題が交わされます。以前、私の研究グループで人間同士のチャットを収集したときのこと。人間同士をランダムにマッチングして、自由なトピックで話してもらいました。そして、収集した数千対話について、発話のそれぞれにトピックを示すラベルを付与していきました。たとえば、この発話は「映画」、この発話は「ラーメン」、この発話は「京都」といった具合です。

この結果、雑談には本当に多様な話題が含まれていることが確認できました。図は頻度が多かったトピックを示しています。一番多かったトピックは「旅行」、二位は「料理」、三位は「映画」でした。これらについては「確かに多そうだな」という印象を持つ方も多いと思います。しかし、一番高頻度の「旅行」であっても、その頻度は全体の０・７％もありません。グラフは非常にロングテール。このままずっと右端まで続いていきます。人間同士における雑談の話題の広がりは大変なものです。

また、収集した対話の発話のそれぞれについて、発話意図を示すラベルも付与しました。

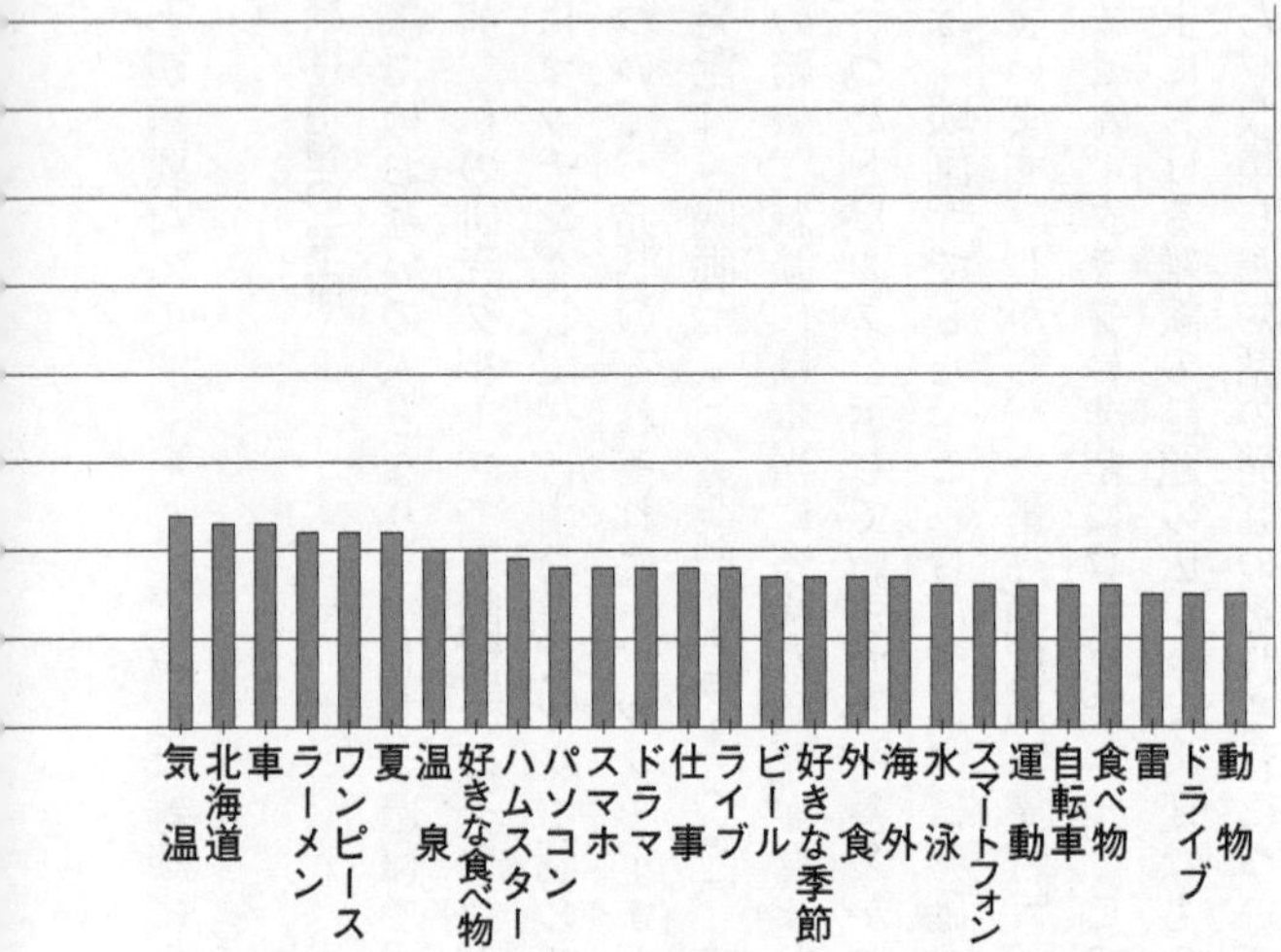

発話意図とは「質問」とか「挨拶」といった、発話が持つ意味のラベルのことです。たとえば、「スカイツリーを知ってますか？」であれば「質問」ですし、「こんにちは」であれば「挨拶」といった感じです。

　このラベル付けの結果、「自己開示」に関するものが最も多い（大体40%程度）ことが分かりました。内訳としては、自分自身の事実（たとえば、出身や職業など）に関する自己開示、好きなものに関する自己開示、嫌いなものに関する自己開示の順で頻度が高いという結果でした。

　自分の話をすることで、相手も自分

雑談のトピック

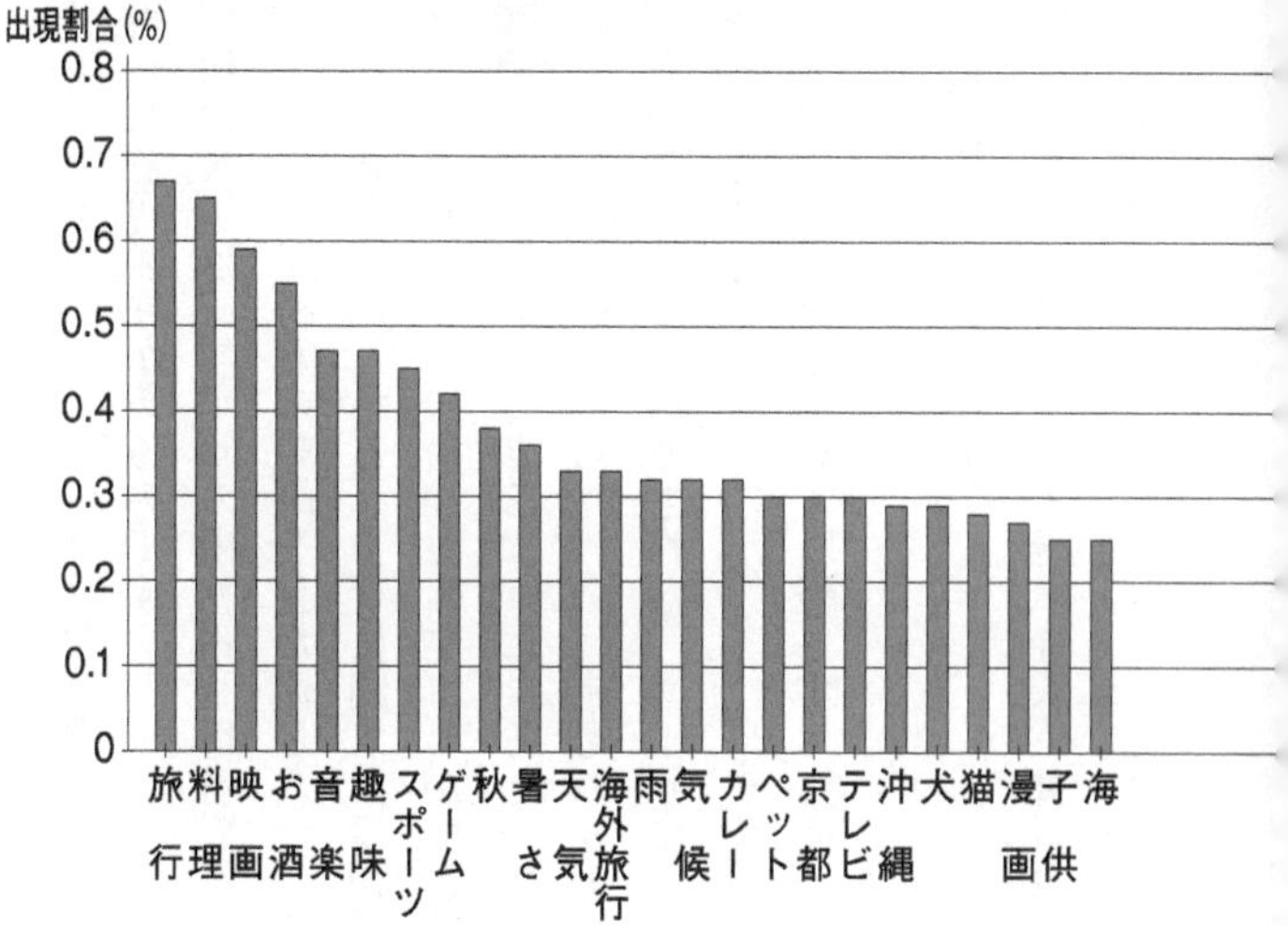

のことを話してくれるようになります。

そして、これはＡＩと人間の雑談でも同じであることが分かっています。アレクサの対話データを用いた研究でも、アレクサが自己開示をすると、ユーザがより多く自己開示をすることが示されています。これを自己開示の返報性といいます。

ＡＩにも色々ありますが、ユーザに合わせた挙動をすることが必要とされる場面が多くあります。ユーチューブであれば適切なおすすめ動画を表示したり、アマゾンであればおすすめ商品を提示したりします。的確なおすすめをするためにはユーザについてよく知らないといけません。ＡＩと人間が雑談をし、仲良くなればなるほど、パーソナルな情報が得られる可能性があるのです。

現状のＡＩは、ユーザの視聴履歴や購買履歴などからおすすめを推測しているに過ぎません。ユーザが特定の動画を見たかどうか、特定の商品を買ったかどうかということに比べて、雑談から得られるユーザに関する情報は、断然多様です。こうした情報を駆使することで、よりユーザに沿ったおすすめができるようになります。

適切なおすすめができるようになると一層ユーザに信用してもらえるようになります。ユーザのことをよく知り、高い能力のＡＩは、より一層信頼されていくでしょう。ひとたび信頼を得ることができれば、ユーザにとって、ＡＩにおすすめされた商品を断ることは難しくなるでしょう。「このシステムがおすすめしているから買ってみようか」となることは容易に想像できると思います。

企業が研究に熱心な理由

ここまでの説明から、なぜ大企業が雑談ＡＩに取り組んでいるかがある程度理解できたのではないでしょうか。人間の一番近いところに入り込んでいくためには雑談が重要なのです。

Ｓｉｒｉは雑談に対応しています。Ｓｉｒｉはパーソナルアシスタントであり、タスクをこなすことがメインです。しかし、雑談がある程度できるようになっています。

マイクロソフトはパーソナルアシスタントのコルタナを展開していますが、雑談ＡＩにも熱心に取り組んでいます。ＡＩ「りんな」は日本でも有名ですね。「りんな」は中国で展開しているシャオアイス（XiaoIce）がベース。シャオアイスは6億以上のユーザを抱えており、感情を持った人間らしい応答ができると言われています。ユーザはシステムに人間味を感じ、楽しく会話ができるそうです。シャオアイスはビジネス面でも展開されており、商品の販売にも高い効果を上げていると報告されています。

アマゾンはＡＩスピーカーを提供する傍ら、アレクサ・プライズ（Alexa Prize）と呼ばれる雑談のコンペティションをここ数年開催しています。毎年有力大学が参加し、最新の雑談ＡＩの技術が競われています。多額の優勝賞金が出るだけでなく、参加者にはアマゾンの計算リソースが提供されたり、便利なＡＰＩが提供されたりしており、雑談ＡＩの研究への並々ならぬ熱意が見られます。

このコンペティションでは、アレクサを実際に利用しているユーザが評価を行います。

ユーザがアレクサに「Let's chat（雑談をしよう）」と呼びかけるとコンペティションに参加しているシステムのうち一つのシステムとランダムにつながり雑談できます。そして、雑談が終わったらユーザに5段階のアンケートに答えるよう促します。アンケートの項目は「またこのシステムと話したいかどうか」です。このアンケートの平均値が高いシステムが優勝します。このアンケート項目は、アレクサとユーザが長期的な関係性を築けることを狙ったものと考えられます。ユーザとよい関係を築くことができれば、商品の販売につながるでしょう。

人間でも雑談をうまくこなすことは難しいように、雑談AIの研究は技術的なチャレンジを多く含んでいます。幅広い話題に対して適切に応答する必要がありますし、会話の流れを適切に理解する必要があります。

マイクロソフト、グーグル、フェイスブックは、雑談自体の重要性もさることながら、そのチャレンジ性から基礎的な雑談AIの研究にも積極的に取り組んでいます。特に、インターネット上にある大量のデータを活用し、どんな話題にも適切に答えるための手法の研究を推進。GPU（ディープラーニングによく用いられる画像処理装置）で有名なNVIDIAも雑談を対象にした研究に取り組んでいます。

ＧＡＦＡのみならず、国内でもＮＴＴやＬＩＮＥなどを筆頭に、雑談ＡＩの研究に取り組んでいます。まだまだ、人間のように雑談ができるシステムができているわけではありませんが、そうなったときのインパクトは非常に大きく、多くの研究者が人間のように雑談ができるＡＩの研究に取り組んでいます。

対話システムは人工知能の究極のゴール

ＧＡＦＡなどの大企業だけでなく、スタンフォード大学や清華《せいか》大学など、多くの学術機関も雑談ＡＩの研究に取り組んでいます。しかし、なかなか人間のように雑談ができるＡＩが実現されていません。これは対話システムの基本的な難しさが原因です。

対話システムは人工知能の究極のゴールの一つだと言われています。人間はあたかもそれが当たり前のように会話ができますので、あまり気づきませんが、対話をするためには大変な技術が必要です。私はよく、対話は総合格闘技だと言っています。特定の技能だけでなく、さまざまな知能が統合されてようやく会話が実現できるからです。

対話の理解のモデルとして、クラークの階層モデルがあります。これによれば、話者同士がお互いの意思疎通をするためには、複数の条件がそろわなければなりません。

まず、音声などのチャネルが適切につながっている必要があります。ちゃんと声が聞こえる、それだけのことですが、ＡＩにはここからなかなか難しいのです。マイクによって音を拾う収音、周囲の騒音への対応、音声を正確にテキスト化する音声認識などにおいて多くの困難があります。

通信のチャネルがつながったうえで、今度は言葉のやり取りが成立しないといけません。相手が話した内容の意味するところが適切に伝わる必要があります。人によっては同じものを違う言葉で言い表したりするでしょう。子どもと大人では話がかみ合わないこともあるように、同じ概念をどちらも持っているとは限りません。相手にその概念がなければ、なかなか言いたいことも伝わりません。コンピュータ上で概念をどう表すのか、言葉の意味をどう表現するのかということは、研究中の難しい課題です。

話した内容の意味が伝わったうえで、さらに意図が伝わらないといけません。相手が何を求めているのかを話している内容から察知し、会話を円滑に進めていく必要があります。相手に言いたいことを察してもらえないことはよくあるでしょう。相手の意図を見極めることはコンピュータではまだ実現できていません。

このように、難しさが積みあがっているため、対話の実現は難しいのです。

人間同士のように音声でリアルタイムに対話をするためにはさらなる能力も必要です。人間は会話において、相手の発言によくかぶせてきます。これはすごいことです。なぜなら、相手が発話を終える箇所を予測できていることを意味するからです。現在の対話システムのほとんどは、相手の発話が終わって、音声認識をして、そのあとにしか応答できません。

よって、かぶせることが基本的にできません。そのためにトランシーバーのようなやり取りになってしまいます。

人間が対面で会うときには、表情や身振り手振り、体の向きなどさまざまなものを制御しています。ロボットの対話システムを作るときにはこういったものを一つ一つ調整していかなくてはなりませんが、これらのモーターをリアルタイムに制御することは非常に困難です。

このように多くの問題はありますが、だからこそ、人間のように対話ができることを目指して、多くの研究者が対話システムの研究を続けています。

知能を測定するチューリングテストとは

対話ができるということは、人工知能ができたといっても過言ではありません。

チューリングテストという言葉を聞いたことがあるでしょうか。これは、計算機科学の父と呼ばれるアラン・チューリングが考案した、知能を対話によって測るテストのこと。話している相手がコンピュータか人間かが分からないレベルになったら、それはそのコンピュータが思考していると考えられ、知能を持ったと言ってよいとするものです。

ヒュー・ローブナーはローブナー賞というコンテストを始めました。これはチューリングテストと同じものです。毎年開催されているのですが、やはり人間とコンピュータの違いは明らかで、チューリングテストに合格するシステムは実現からは程遠い状況です。

ただ、数年前に「チューリングテストに合格したチャットボットができた」、とのニュースがネットで話題になったことがありました。ロシアのチャットボットで、ユージーン・グーツマンというキャラクタのシステムでした。チューリングは論文の中で、「システムと話した30％の人を、そのシステムが人間だと騙《だま》すことができたら、それはテストに合格したと言ってよい」と述べていました。ユージーンは33％の話者が騙されたので、パスしたという報道がなされたのです。

ユージーンは本当に人間のような対話の能力を持っているのでしょうか。答えはノーです。

ユージーンのケースについて知っておくべきことがあります。まず、話者がシステムと話す時間に5分間の制限が設けられていました。つまり数分間だけでも、人間らしく振舞うことができればなんとかなるということです。次に、ユージーンはウクライナ出身の少年で英語が苦手という設定を持っていました。そのため、変なことを言っても許されるような状況を作っていました。こういったテクニックはチャットボットの世界ではよく利用されます。ユージーンは「手作業による作りこみ」と上手な対話デザインによって、チューリングテストに「合格」したのです。コンピュータゲームの「シーマン」も対話デザインには定評があります。ふてぶてしいキャラクタを設定しておくことによって、うまく返答できなかったとしても「そういうキャラクタだからしょうがない」とユーザが納得できるのです。

テストの実施の方法や状況設定の仕方でチューリングテストの結果は変わります。ユージーンは特定の状況ではチューリングテストに合格したと言うことはできますが、それ以上でもそれ以下でもありません。ローブナー賞では近年対話時間を長く設定。そのせいもあり、人間とシステムの差はますます広がっているように見えます。

一般にチューリングテストはテキストチャットを介して実施されますが、音声を用いたり、ロボットを用いたりといった拡張も検討されています。

「トータルチューリングテスト」は、実際に対面で対話している相手が人間かロボットかが分からないことをゴールにしているテストです。このようなテストに合格することは遠い道のりですが、ユージーンのように、限定された状況であれば「さっき話したのって人間だっけ？」ということも起こるかもしれません。

AIとの雑談が当たり前になる

人工知能技術はこれからますます高度化していくでしょう。ビッグデータ、たとえば、様々なセンサーの情報やクラウド上のデータなどが集積され、それらをコンピュータで処理することにより、さまざまな判断を人工知能が担っていくようになります。すでに、多くの仕事が人工知能に取って代わられています。

しかし、これは人間の仕事がなくなることを意味しません。人間が一人で行うことのできる範囲が増えることで、私は仕事はもっと多くなっていくと思います。人間は人工知能を駆使することによって、より複雑で高度な仕事を手がけるようになるでしょう。

人間が高度化した人工知能のすべての機能を覚えて使いこなすには限界があります。最終的に、言葉によって人工知能とやり取りすることが現実的でしょう。実際、フォトショップやイラストレータなどの製品で有名なアドビは画像処理の操作を音声で行うための研究を推進中。「ここの背景を切り取って」とか「ここの人物の服装の色を変えて」といった言葉により、画像の加工が可能になってきています。

よって、人間が理解していないような処理をコンピュータに依頼する、といったことが日常的になるでしょう。それは最初は不安かもしれませんが、いったん信頼できるとわかれば、人間はコンピュータに、より権限を委譲していくと考えられます。そうすることで、より大きな仕事ができるからです。

Ｓｉｒｉのアイデアの元となったナレッジナビゲーターというシステムがあります。動画がユーチューブで見られるのでぜひ見てみてください。執事システムと大学の先生がやり取りをすることで、講義の準備などをしていく様子が描かれています。この中で、システムは主人のために能動的に動きます。

グーグルはデュプレックス（Duplex）と呼ばれる対話システムを発表しました。ユーチューブで見られる動画では、デュプレックスは人間の代わりに美容院の予約をするために電話をかけます（https://www.youtube.com/watch?v=D5VN56jQMWM）。店員と電話でやり取りをして、主人の都合を考慮しながら上手に予約をするのです。人間から権限を委譲されたシステムの端的な例と言えるでしょう。

人間は、システムが勝手に変な予約をしないと信じていないと使えません。あの動画はたまたまうまく動作したトップデータであって、デモのために作りこまれたものかもしれません。しかし、これから先の対話システムの方向性を明確に示していると思います。権限の委譲ができるということは、すなわち信頼できるということです。完璧《かんぺき》ではなく失敗するリスクが多少あっても仕事をお願いできる関係性。そうした関係性は、人間では主に雑談によって築かれます。これは相手がコンピュータでも同じと考えられます。

中身の見えない複雑なシステムには不安を覚えるものです。でももし、それが楽しく雑談できる相手だとしたら不安も薄れるのではないでしょうか。将来的に、人工知能技術が複雑化する中で、ＡＩと雑談をすることは当たり前になるでしょう。

本章では、ＡＩが最近どうして雑談をするようになったかについて述べてきました。人間の身近な存在となり、社会の中にＡＩが入り込むことによって、人間はシステムに雑談を期待し、システムは雑談をするようになりました。これからのＡＩと協調する社会において、ＡＩと人間の信頼関係は不可欠と言えます。人間と人間が行ってきた共同活動を、これからはＡＩも交えて行っていくことになります。そのような信頼の基盤となる営みが雑談なのです。

第一章　雑談を可能にする仕組み

＊

本章では雑談ＡＩの構成について述べます。具体的には、手書きのルールによる方法、インターネット検索などの大規模なデータから発言を検索する方法、ディープラーニングを使って発言を作る方法、そして、これらを統合した手法について述べていきます。ディープラーニングによる方法は現在活発に研究されています。グーグルやフェイスブックが大量のデータを基にして、ディープラーニングによる雑談ＡＩを発表しています。しかし、アマゾンが行うコンペティションであるアレクサ・プライズでは必ずしもディープラーニング一辺倒というわけではありません。また、商用サービスではまだまだ手書きのルールが全盛です。どうしてこのような状況になっているのでしょう？　本章で詳しく述べていきます。

雑談ＡＩの構成

雑談ＡＩの実現は非常に難しい課題です。前章で説明した通り、幅広い話題に対応する必要がありますし、人工知能の究極のゴールの一つであると述べたように、総合的な知性が必要になってくるからです。

そのような雑談AIですが、まだ確固とした方法論はできていないものの、いくつかの代表的な作り方があります。

最も代表的なものは手作業のルールを用いた手法です。これは、どういう発言をユーザが行ったときに、どのように応答すべきか、というルール（規則）を書き下していくものです。たとえば、「こんにちは」に対しては「どうも、お元気ですか？」と返す、であるとか、「さようなら」に対して「また話しましょうね」と返す、といったルールを、人間が思いつく限り書いていきます。「こういったルールをいったいいくつ書けばよいのか」といった問題はありますが、よいルールを書くことができれば、自然な雑談が可能です。

二つ目の方法は、抽出ベース、もしくは、検索ベースと呼ばれる手法です。ルールによる手法は、人間が逐一ルールを書いていく必要があるため、コストが高いという問題がありました。抽出ベースの方法は、ユーザの発話に関係する文章をインターネットなどの大規模なデータベースから検索してきて、それを使って会話をします。これにより、手作業でルールを書く必要がないため、コストを低く抑えられます。また、インターネットには多様なコンテンツがありますので、ユーザが何を言っても関連する文章を大体見つけることができ、雑談の多様な話題に対応できるメリットがあります。

三つ目の方法は、生成ベースと呼ばれる手法です。抽出ベースの方法では、インターネット上のどこかにある文章を使って対話をすることになりますので、どうしても引用をつなげたような不自然な会話になってしまいます。生成ベースの手法はどこかから文章を持ってくるのではなく、一から文章を作ることで発言を生成。これにより、文脈に沿った会話が実現できるようになります。文章の生成には一般にディープラーニング（後ほど詳しく述べます）が利用されます。大規模なテキストデータから、文脈に合った文章の作り方を学習し、この発話のあとは、この単語が出現しやすいという情報から言葉を紡いでいくのです。最後に紹介する方法は、統合的な方法です。対話は総合格闘技であると述べた通り、単一の方法だけに頼るだけでは高度な対話を実現することは困難です。人間の脳も複数の機能を持つ領野に分かれており、それらが連携することで高度な機能を実現しています。それと同じように、ルールベース、抽出ベース、生成ベースを含むさまざまな人工知能のソフトウェアを組み合わせることでユーザの発言を適切に理解し、発言を生成する方法です。

さまざまな方法がこれまでに提案されていますが、現状では決定版といったものは存在していません。ただ、商用の雑談ＡＩについていえば、ルールを用いた手法が最もよく使われています。

心の機微を扱う知見

どうしてルールを用いた手法が商用サービスで最もよく利用されているのか。それは人間のテクニックがすごいからです。人間が作るルールは、人間による知見が詰まっています。この時にこういえば良い対話ができる、というアイデアは、データをもとにイチから発見するには難しすぎると言えます。

少し話はそれますが、以前コールセンタの対話を分析していた時のこと。この時の私の仕事は、音声認識されたお客様の通話テキストを解析することで、ビジネスに有用な知見を得ることでした。たとえば、どういうトラブルを抱えているお客様が多いとか、どのようにオペレータが対応すればお客様が満足を感じてくれそうか、といったことを調べていました。

しかし、統計的な手法で得られた何らかの結果をコールセンタの方に報告しても「そんなことは知ってます」という回答ばかり。苦労して統計的な分析をいくら行っても、そこから得られる知見は、コールセンタに勤めている人がこれまでの経験で知っていることばかりでした。特に、人間の心の機微を扱うような場合、自動的な分析にはどうしても限界があります。下手に統計的な手段に頼るよりは、人間の直感を信じた方が正しいのです。「疲れたよ」に対して「お疲れ様」と返す簡単に見えるやり取りでさえ、統計的に実現しようと思うとそれなりに困難です。特定の状況において、誰かが疲れている場合にはそれをねぎらうような発言をするのがよく、それには「お疲れ様」と言うとよい、ということは多くの方が知っていますが、こういうやり取りをルールを作らずに自動的にできるようになるには、このようなシチュエーションの対話データを準備し、そこから適切に学習する必要があるのです。ルールを用いることは、こういった人間の宝石のような知識をそのまま切り出して利用可能にするということです。

イライザ（ＥＬＩＺＡ）というシステムがあります。このシステムは雑談ＡＩの元祖と呼ばれており、ロジャース心理学の精神科医のカウンセリングを模倣するものです。具体的には、相手の発言に対して「もっと聞かせて」と促したり、相手の発言を少しだけ書き換えて同調したりします。たとえば、「振られちゃったんだ」というユーザの発言に対して「そうなんだ、振られちゃったんですね」のように返します。驚くほど単純なルールですが、これが非常によい対話を実現することが知られています。何人ものユーザがこのシステムの虜《とりこ》になり、自分をわかってくれているのはこのシステムだけだ、と感じたそうです。

前章で登場した、チューリングテストに「合格」したユージーンもルールを用いています。人間の知見がふんだんに取り込まれている分、状況にうまくはまると自然な対話を実現できます。

手書きのルールが重宝される理由はもう一つあります。それは、制御が容易だからです。商用の対話システムで、もっともよくないことは、社会的に問題のあることをシステムが発言して炎上してしまうことです。抽出ベースや生成ベースの手法では、インターネット上のコンテンツや統計情報に依存するために、何が発言されるかが予測できません。多様な発言に対応できたり、大量のデータから文章を生成できることはメリットですが、リスクも大きいのです。商材としての雑談ＡＩは、不適切な発言をしないかどうか、が重要視されます。ルールベースの手法は人間が発言をすべてコントロールできることから、炎上リスクが少なく、よく利用されるのです。

手書きルールのテクニック

せっかくですので、ここで手書きのルールを作る際のいくつかのテクニックを紹介しましょう。私は対話システムの講習会を主催したりしていますが、その時に説明している方法です。

ここで説明する方法は、ロボットとの対話のデモンストレーションを多く行っている筑《つく》波《ば》大学の飯尾《いいお》尊優《たかまさ》先生がまとめたノウハウの受け売りです。このノウハウを知っていると、誰でもそれなりにつながる雑談ＡＩをルールで作ることができます。

最も重要なことは、ユーザの発言のすべてに応えようとしないことです。「ユーザがあれを言うかも」「これを言うかも」と枝葉末節に至るまで対話を想像し、ルールを書いていくと疲れてしまいます。そして、システム自体を作ることが重荷になってしまいます。

雑談ＡＩの扱う話題は多様だと言いました。もちろん多様なのですが、工夫によって多様性を減らすことができます。具体的には、ユーザにとにかく質問をするということです。質問は、相手にその応答を要求します。名前を聞いたら、名前を言う義務が相手に生じます。こういう義務のことを、談話義務といいます。質問を上手に活用すれば、相手のしゃべることが予測でき、多様性を減らすことができるようになるのです。「最近運動してますか？」と質問したとしましょう。ユーザはおそらく運動をしているか、していないか、しているのであればどのような運動をしているのかを言ってくると想像できます。そういう想像をしたうえで、次に何を言うかを考えるのです。

次のテクニックは、ユーザが何を言っても成立するような応答をするというもの。具体的には、相槌《あいづち》です。「ふーん」とか「うんうん」とか、「そうなんだー」など。そうすることで、少なくとも相手の発言を無難に受けることができます。そして、次の質問をすればよいのです。

システム「最近運動してますか？」
↓〈ユーザの発言〉
↓システム「そうなんだ（相槌）。運動って大変ですよね。部活はやってました？（質問）」

このようなルールを書いておくと、大体の場合うまくいきます。大体の場合、というのはユーザが質問をしてくるとそれには答えられませんので、対話が破綻《はたん》してしまうから。また、このルールは一回きり（初対面）しか使えません。二回同じやり取りをしてしまうと、ユーザは興醒《きょうざ》めしてしまいます。ここで紹介したテクニックは、あくまでも単発のデモンストレーションを乗り切るためのテクニックです。もちろん、毎回質問をするのは人間の会話においては極めて不自然なことも忘れないでください。

このようなルールを書くためのツールも開発されています。NTTドコモが提供するSUNABAというツールでは、GUIを用いて簡単にルールを作成することができます。先ほど述べた講習会でもこのツールを使って実習を行っています。ルールがどのようなものかを知ることで、雑談AIがどのように動いているかが何となくわかっていただけたのではないでしょうか。人間の知見が詰まった大変便利なルールですが、その作成には限界もあります。

メンテナンスの限界

ルール記述用の言語として人工知能マークアップ言語（AIML：Artificial Intelligence Markup Language）があります。この言語は、ローブナー賞で何度も優勝しているA．L．

I．C．E．と呼ばれる雑談AIで使われたものですが、現在では世界的にチャットボットの記述言語として使われています。

私の研究チームでも、この人工知能マークアップ言語を使って対話のルールを作成しています。多様なユーザ発言に応えるような雑談AIを作りたいと気合を入れて多くのルールを作成。手元にある人間同士の対話を参考にしながら、13万ほどのルールを書きました。

ここでは、「ユーザがこう言ってきたら、こう答える」というものを一つのルールの単位としています。かなりの費用と時間がかかりましたが、こうして作った雑談AIは比較的よい性能でした。これまで説明してきたように、ルールには人間の知見が入っているため、自動処理に基づく方法よりもよい応答が実現できたのです。

私は喜んで、もっと多くのルールを作り、より自然で豊かな雑談ができるようにしようと考えました。さらに幅広い話題に対応できるようにルールを足したり、特定の話題について少し込み入った会話もできるようにルールを追加。その結果、ルールの数は30万ほどになりました。

しかし、作ったルールに基づくシステムの性能に変化がなかったばかりか、若干の悪化も見られたのです。

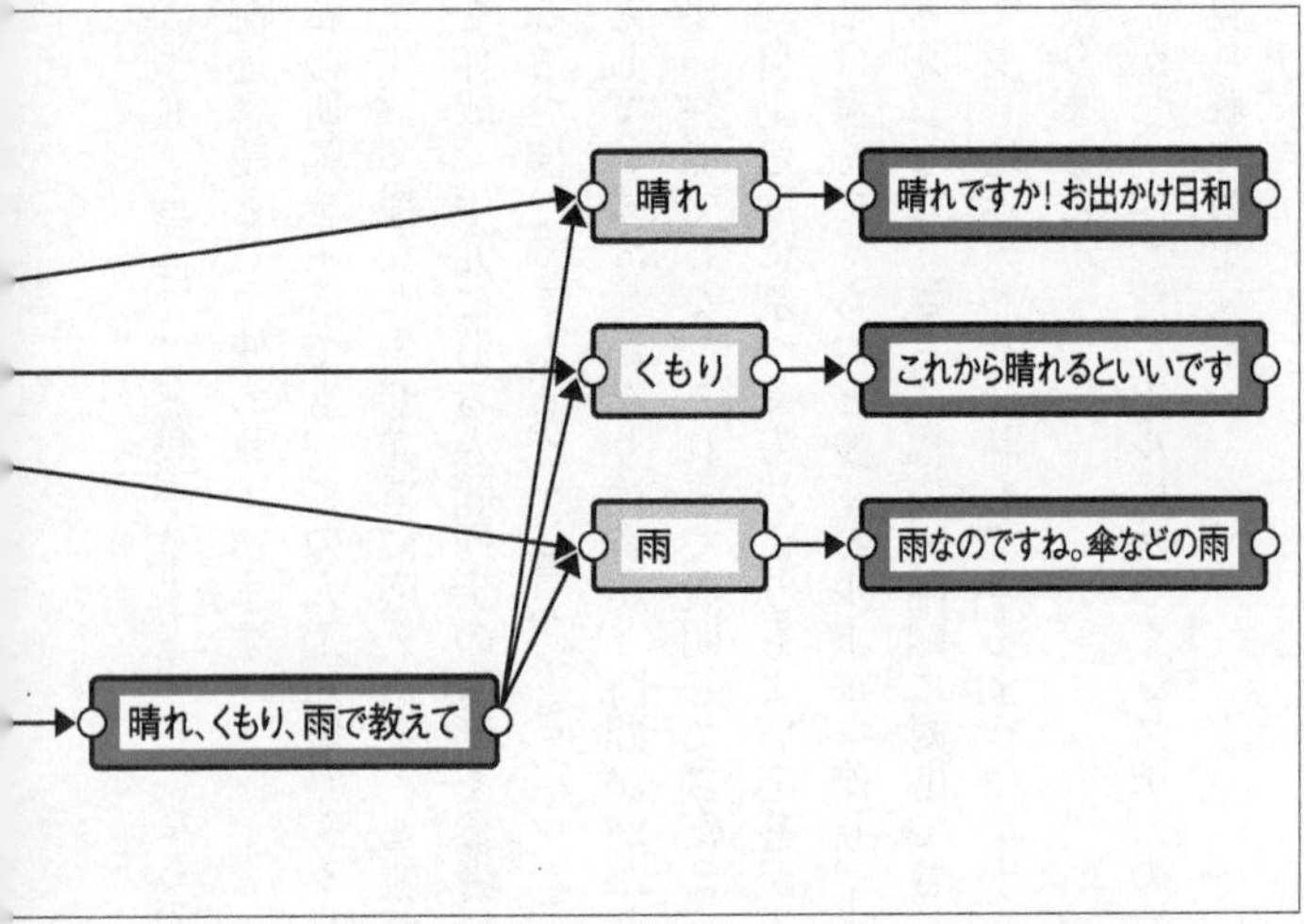
晴れ
晴れですか！お出かけ日和
くもり
これから晴れるといいです
雨
雨なのですね。傘などの雨
晴れ、くもり、雨で教えて

この時何が起こっていたかというと、多すぎるルールをメンテナンスするのが非常に大変で、全体の整合性を重んじるあまり、具体的な内容が書きづらく、無難でどちらかといえばつまらない応答をするルールを追加する羽目になっていました。

また、特定の話題を深掘りしていくルールを作ることもあまりうまく機能しませんでした。人間の会話は四方八方に展開します。多様なユーザ発話に応えようとしましたが、どれほど多くのルールを書いても、ユーザの発言はより多様でルールがヒットしませんでした。

考えてみれば当然ですが、雑談におけ

SUNABAのGUIによる記述

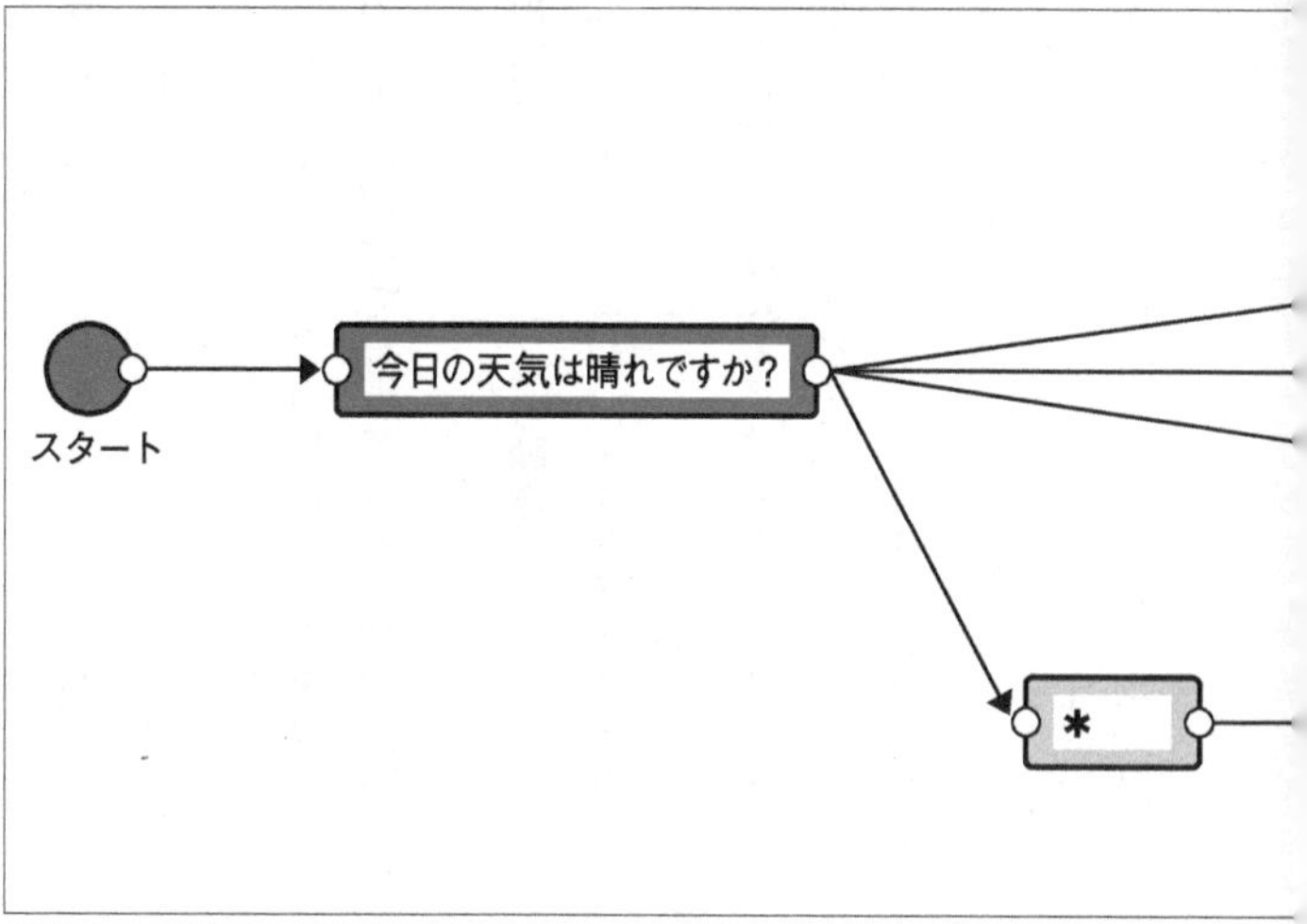

出典：https://docs.xaiml.docomo-dialog.com/

人工知能マークアップ言語(AIML)による記述

```
<category>
  <pattern> お酒 * 飲め * か </pattern>
  <template> お酒好きです </template>
</category>
```

る話題は幅広く、しかも、その話題で話が展開していくと、その広がりは広大です。飯尾先生がおっしゃるように、すべてのユーザ発話に対応することは困難ですし、あまり有意義ではありません。

30万のルールをさらに増やしたとしても、雑談ＡＩの性能は改善しないでしょう。手書きのルールだけで実現できる対話には限界があります。

抽出ベースシステムの動作原理

ユーザの発話に対し、インターネット上のコンテンツから文章を探してきて応答する抽出ベースの手法は、手書きのルールの限界を突破することができます。少なくとも、ユーザの多様な発話に対応することができます。

抽出ベースの手法では、インターネットにおける大規模なデータを利用します。よく用いられるのは、ツイッターやオンラインフォーラム（いわゆるインターネット掲示板）のデータです。

ツイッターでは、多くの人が会話を楽しんでいます。誰かが発言をし、それに対応して、誰かが応答しています。このような発話のやり取りのデータがツイッターには大量に存在します。オンラインフォーラムも同様です。米国では、レディット（Reddit）と呼ばれる掲示板サイトが有名。様々な話題について、多くの人が発言をし、それに対応した発言がスレッドを形成しています。国内では、ヤフーニュースのコメントがこれに近い形式を持っていると思います。中国では、ウェイボー（Weibo）のデータが同様の構造をしています。

抽出ベースのシステムがユーザ発話を受け取ると、インターネット上のユーザの発言から、まず似た発言を検索します。たとえば、ユーザが「元気ですか？」と発言したとすると、ツイッターなどから、「お元気ですか」とか「元気？」などの似た発言を探します。そのような発言が見つかったら、その発言に対して誰かが行った応答を、システムの発言として行うのです。たとえば、誰かが「元気だよ！」と答えていたら、その発言をそのままシステム自身の発言として使うということです。

ソーシャルネットワークや掲示板には膨大な発話のデータがあります。多少マニアックな話題であっても、誰かが言及していることが多くあります。そのため、抽出ベースは多様な話題に強いというメリットがあります。

しかし、デメリットも多くあります。まず、データにノイズが多い。ツイッターのデータは処理が面倒なことで有名です。ハッシュタグなどの記号が入っていますし、スラングも多く入っています。検索してきた発言が、システムの応答としてまともである保証がありません。また、関連して、個性が一貫しないという問題も。誰かの発言を持ってくるため、最初は男性の発言を使い、そのあと、女性の発言を使って答えるということが起こります。そうすると、人格が破綻したように見え、ユーザは話しづらくなります。

加えて、検索される発言は、誰かがかつてある文脈で話したもの。それを、現在の対話文脈に無理やり入れ込もうとするとどうしても無理が生じてしまいます。

私がワークショップなどで対話システムの作り方の演習をするとき、チームに分かれて、10個程度の任意の発言を作ってもらうことがあります。「こんにちは」とか「そうですよ」、「ラーメンは好きですよ」などです。そして、チームが交互に一つずつ手持ちの発言を出していって対話を成立させるゲームをしてもらいます。そうすると、どんなに汎用的な発言を作っていても、どうしても文脈に沿わない発言をせざるを得なくなります。この演習は、文脈に沿った発言をあらかじめ準備することの難しさを知ってもらうためのものですが、抽出ベースのシステムの欠点をよく表していると思います。

抽出ベースの手法は、多様なユーザ発話に対応できるという意味で魅力的ですが、このように多くの問題点をはらんでいます。

ディープラーニングによる発話生成

近年最も活発に研究されているのは、ディープラーニングを使った発話生成。いわゆる生成ベースの手法です。様々な分野で「ディープラーニングがすごい」と聞かれた方も多いと思います。音声認識、画像認識などの性能はディープラーニングの出現によって実用レベルになりました。

ディープラーニングとは、人間の脳の構造を模したコンピュータのモデルであるニューラルネットワークを、多層に積み重ねて用いる学習手法です。人間の脳も、多くのニューロン（神経細胞）の結合からなります。脳の神経細胞はつながりあって高度な知能を実現しています。ニューロンのつながりのような仕組みをコンピュータ上に再現することで、高度な学習を実現することができるのです。

どのように学習するかですが、画像認識を例に挙げると、まず、多くの画像を準備し、それぞれについて、写っている対象を「これは猫」、「これは車」のようにラベル付けします。そして、猫の画像を入力したときには猫のラベルが、車の画像を入力したときには車のラベルが出力されるように、ニューロンの結合の強さを調整。このような調整を何度も繰り返すことで、任意の画像について適切なラベルが出力できるようになります。これが、ディープラーニングの原理です。

ディープラーニングのよいところは、この調整を自動的に行うことが可能で、入出力のデータさえあれば、入力と出力の対応付けを勝手に学習してくれるところです。入力と出力だけから学習することから、End-to-End 学習（一気通貫学習）とも呼ばれます。

ディープラーニングを発話生成に用いる場合、文脈を入力として、次に発言すべき発話を出力するように学習を行います。

抽出ベースでは発言がどうしても文脈に合わなくなる問題がありましたが、生成ベースの手法では、このように学習されたニューラルネットワークを利用し、文脈に沿った発言を一から作ることができます。

一から発言を作ることができるのは魅力的ですが、問題もあります。まず、データが大量に必要。少なくとも、数百万の「文脈と次発話のペア」を準備する必要があると言われています。また、大量のデータから学習するには、多数の計算機も必要となってきます。加えて、生成される発話の質はデータに大きく依存します。ツイッターなどのノイズの多いデータから学習すると、出力する発話の質も低くなってしまいます。学習の仕方にも工夫が必要で、いい発話を生成するために、世界中の研究者がしのぎを削っています。

プロジェクト「ロボットは東大に入れるか」

せっかくですので少し寄り道して、私が関わっていた「ロボットは東大に入れるか」プロジェクトの話をします。このプロジェクトはディープラーニングに強く関係しているからです。

「ロボットは東大に入れるか」（略して東ロボ）は、２０１１年に国立情報学研究所の新井《あらい》紀子《のりこ》先生が始めたプロジェクトで、人工知能に２０１６年までにセンター試験で高得点を、２０２１年までに東大に合格させることを目標としたプロジェクトです。プロジェクト発足以来、毎年大手予備校と連携して、人工知能（我々は「東ロボくん」と呼んでいました）にセンター模試を受けさせる営みを行っていました。人間の知能にどの程度迫れているかを定期的に測ることができるからです。

東大合格を目指していたので、必要となる科目をほぼすべて受けていました。私は英語チームのメンバーでした。東ロボプロジェクトに参加した２０１４年、私は比較的楽観的で受験生の平均くらいは取れるようになるだろう。そして、しばらくすれば２００点満点中１２０点くらいは取れるようになるだろうと思っていました。しかし、そう甘くはありませんでした。最初に受けたセンター英語でこそ90点を取り、受験者平均を若干超える成績を収めることができたものの、そこから点数は伸び悩み。偏差値でいうと、45と50の間くらいを行ったり来たり。そして、２０１６年に、新井先生からアナウンスがあり、東ロボくんがセンター模試を受ける営みは中断されました。

センター試験の英語は三種類の問題に分けられます。短文問題、複数文問題、長文問題です。短文問題は、発音問題や一文における空白の穴埋めのような問題。複数文問題は、5文~10文程度の英文を読んで回答するタイプの問題。そして、長文問題はもっと長いA4一枚程度の文章を読んで回答する問題です。

短文問題は比較的容易でしたが、難しかったのが、複数文問題や長文問題でした。比較的長い文章をコンピュータに理解させ、回答させるためには、文章をコンピュータが理解できる形式に落とし込まないといけませんし、そのうえで選択肢との対応付けを行わないといけません。センター試験は記述式ではなく選択式ですので、記述式よりは簡単な部類に属しますが、それでも文章をどのように理解させ、選択肢と対応付けるかを考えるには、複数文問題や長文問題は難しすぎました。代名詞の「ｉｔ」一つとっても、それが何を指しているかを的確に当てるモデルを作るのは難しいのです。

しかし、２０１７年以降、伸び悩んでいた点数がディープラーニングで改善し始めました。ポイントは、二つあります。

一つ目は、大規模な英語の問題文セットが米国の大学から公開されたことです。中国の中高生用に作られた英語の試験問題を大規模に集約することで作られたデータでＲＡＣＥ（レース）と呼ばれます。10万問くらいの問題が入っており、センター試験に似たタイプの問題が多く含まれていました。ディープラーニングは学習にデータが多く必要ですが、それに足るデータが出現しました。

二つ目は、大規模テキストデータに基づく事前学習済みのニューラルネットワークが公開されたことです。事前学習とは、非常に大規模なデータでニューラルネットワークの土台を事前に作っておく処理のこと。新聞記事であっても、書籍のデータであっても、同じ言語で書かれたものであれば、単語の並び方はある程度共通したものがあります。そこで、大量に手に入るデータを用いて、ニューラルネットワークの土台を事前に学習しておくのです。そうした上で、最終的に学習の対象としたいデータを用いて、ニューラルネットワークを最終調整します。この最終調整をファインチューニングと言います。これにより、試験問題のデータがそれほど多くなくても、学習が適切に行えるようになりました。事前学習済みのニューラルネットワークは大企業が多く公開。グーグルが提供しているBERT（バート）は最も有名な事前学習済みのニューラルネットワークです。

事前学習済みのニューラルネットワークであるBERTを、大規模な試験問題のデータであるRACEとセンター模試でファインチューニングすることで性能は劇的に改善しました。BERTよりも優れていると言われる、事前学習済みのニューラルネットワークのXLNet（エクセルネット）を利用することでさらに点数が伸びて、最終的には2019年にセンター本試で185点を取ることができました。これは偏差値でいうと65くらいです。これは東大合格者レベルです。

ロスト・イン・カンバセーションとミーナとブレンダーボット

ディープラーニングは雑談AIの発話生成にも積極的に活用されています。ここでは、そのようなシステムを三つ紹介します。

一つは、ロスト・イン・カンバセーション（Lost in Conversation）というシステムです。

対話システムのコンペティションで Conversational AI Challenge があります。ロスト・イン・カンバセーションはこの2018年の大会で優勝したシステムです。

このシステムはディープラーニングを用いて対話をします。入力されたユーザ発話に対して、次のシステム発話をニューラルネットワークにより生成。ユーザが次の発言をしたら、そこまでの文脈をもとに次の発話を生成することを繰り返します。

学習データには2種類の対話データを利用しています。

一つはペルソナチャットと呼ばれるデータで、人間同士のテキストチャットのデータです。

このデータはクラウドソーシング（インターネット上のユーザに仕事を依頼することのできるサービス）により作られていて、ネット上でマッチングされた話者同士が、それぞれ与えられたプロフィールに従ってチャットをしたデータです。サイズとしてはおよそ1万対話ほど。プロフィールとは、5行程度からなる話者を表すテキストのことで「スキーが好き」とか「メキシコ料理が好き」といった文章からなります。このデータはフェイスブックが提供しています。

もう一つはデイリーダイアログと呼ばれるデータで、英語学習者用のサイトから対話例をクロールすることで作成されたもので、英語の教科書に載っているような対話のデータです。こちらもおよそ1万対話ほどが含まれています。

ロスト・イン・カンバセーションはこれらの二つのデータを用いて発話生成のニューラルネットワークを学習します。しかし、これらのデータからだけだと合わせても高々2万対話ほどであり、データ量として多くはありません。そこで、前節で紹介した事前学習というテクニックを利用。そうすることで、対話データで学習する際には、対話における話し方の学習のみに集中できます。

ロスト・イン・カンバセーションは約7000冊の書籍のデータを用いてニューラルネットワークを事前学習し、その後、対話データでファインチューニングしています。

このシステムの対話性能はユーザアンケートによって測られましたが、3・11点（5段階評価）でした。評価の中間である3を超えていますので、それなりの対話が実現できていることが分かります。

もう一つのシステムとしてミーナ（Meena）を紹介します。ロスト・イン・カンバセーションと同様のアプローチですが、2020年の初頭にグーグルが発表したシステムで、現在できる限りのことをやったシステムという感じです。まず、学習に利用するデータ量が非常大きく、341GBの対話データを用いています。このデータには、約400億単語が含まれています。

この大規模な対話データはSNSをクロールすることで得られたものです。

ミーナでは、大量のデータからニューラルネットワークを学習するために惜しげもなく計算機を投入。ミーナにおけるニューロンの結合の数は実に26億にも上るため、2048個のTPU（ディープラーニング用の特殊な演算プロセッサ）を1か月もの長い時間フル稼働させて学習しています。システムを評価した結果、全体の87％の発話が問題なかったと報告されており、かなり自然なやり取りが実現されていることが分かります。

そうしている間に、ブレンダーボット（BlenderBot）というチャットボットをフェイスブックがリリースしてきました。図は筆者とブレンダーボットとのやり取りです。こちらもかなり自然な対話が実現できていることが分かります。

アレクサ・プライズと統合的な手法

アレクサ・プライズのシステムも紹介しておきます。実はディープラーニングによる発話生成によるものとはかなり異なります。

これは、評価が実際のアレクサユーザによって行われ、対話がいつでも打ち切られるシビアなものであることが原因だと考えられます。アレクサは、それっぽく答えるだけではなく、ユーザの発言を適切に理解し、自身の持っている情報などをふんだんに盛り込んで、ユーザが喜ぶような内容を話す必要があるのです。そうしないとユーザが離れていってしまいます。なお、ミーナやブレンダーボットは、募集された被験者によって評価されています。これはいわゆる実験室実験です。

アレクサは、「スター・ウォーズ」の話をユーザが切り出してきた場合、「スター・ウォーズ」についてそれなりに会話を続けないといけません。「よく知らないんだよね」などとかわしたり、「おもしろいですよね」といった適当な発言をすると、ユーザの心証が悪くなり、たちまち対話が打ち切られてしまいます。また、対話で話題に上りがちな「スター・ウォーズ」だけではなく、もっとマニアックな話題についてもついていかなくてはいけないのです。必然的にアプローチが変わってきます。ただ話をつなげるだけでなく話題の深さも必要になってくるというわけです。

アレクサ・プライズの典型的なシステムは、三つの部分からなります。ユーザの発言を理解する部分（発話理解）、次に何を話すかを文脈や手持ちのデータベースをもとに考え

BlenderBotと筆者の会話

システム：	暇な時にやってみたい趣味はありますか？　テレビゲームをするのが好きです。
筆　　者：	「デトロイト・ビカム・ヒューマン」が好きです。
システム：	「デトロイト・ビカム・ヒューマン」は素晴らしいゲームです。以前にプレイしたことがありますか？
筆　　者：	いいえ
システム：	私はそれを非常にお勧めします。長い間プレイした中で最高のゲームの一つです。
筆　　者：	何が好きでしたか？
システム：	ストーリーと選択肢がとても気に入りました。とても楽しかったです。
筆　　者：	好きなキャラクターは？
システム：	コナーとしてプレイするのが本当に楽しかったです。彼は素晴らしい主人公でした。あなたはどうですか？
筆　　者：	カーラが好きです。
システム：	私もカーラが好きでした。彼女はとても面白いキャラクターでした。彼女がレポーターであることが好きでした。

注：BlenderBotと筆者の会話（英語）を機械翻訳で日本語にし、微修正したもの（翻訳はDeepL https://www.deepl.com/ja/translator）

る部分（対話管理）、そして、次に話す内容を言葉にする部分（発話生成）です。そしてこれらを統合的に処理します。

実はこの構成はタスクＡＩと同じ。タスクＡＩではタスク達成が至上命題です。ユーザの発言を適切に聞き取った上で、レストランの情報などを検索し、ユーザに提示する必要があります。これをしっかりと行うことができないと役立たずのシステムになります。雑談であっても、面白い情報を提供するために応答に精度が求められた結果、アレクサ・プライズのシステムには、タスクＡＩと同様の構成が用いられています。

サウンディング・ボード（Sounding

Board）はワシントン大学のシステムです。アレクサ・プライズの初回（２０１７年）で優勝しています。ユーザが話した話題についてとにかく何かしら面白いことを言う、という考え方で作られています。ユーザの好みを対話から理解し、システムが持つ知識源からユーザの好みに合った話題のデータを抽出して、その内容を伝えるアプローチです。

ワシントン大学の発表を私も聞きました。猫好きのためのコンテンツを用意しておく必要があると力説していたことをよく覚えています。いろいろなユーザが満足するような対話を実現するためには、多様なコンテンツをもとに、ユーザが話したいことを話せることが重要なのです。

ガンロック（Gunrock）はカリフォルニア大学デービス校のシステムです。二回目（２０１８年）のアレクサ・プライズで優勝しています。こちらのシステムも発話理解、対話管理、発話生成の三つのモジュールからなっており、構成はサウンディング・ボードと同じです。

異なるところは、ユーザの話している内容をより深く理解するようにしたことと、システムにバックストーリーと呼ばれる自身の背景情報を与えることで、個性を持たせる工夫をしたところ。後者は雑談において重要なポイントと言えます。ただ単に面白いことを言うだけでなく、個性を持って話すことが、人と話しているような感覚を与え、対話を続けたくなるのです。

２０２０年、三回目のアレクサ・プライズは米国のエモリー大学が優勝しました。エモーラ（Emora）と呼ばれるシステムはユーザとシステムが体験を語り合って共有するということをテーマにしたシステムでした。複数のモジュールを組み合わせているところは従来の優勝チームと同様ですが、対話の流れを綿密に設計することで、ユーザ満足度の高い対話を実現しました。

人間と長時間話すことができるようになるためには、アレクサ・プライズのチームが採用しているように、発話理解、対話管理、発話生成といった複数のモジュールを統合することが現状では効果的です。それは精度の高い発話が求められているからです。

ＮＴＴ製雑談ＡＩの構成

私が関わるＮＴＴの雑談ＡＩの紹介をしたいと思います。このシステムはＮＴＴドコモによってサービス化され、雑談対話ＡＰＩとして開発者向けに公開されていました。また最近、カタライ（katarai）という名前のサービスとして展開され、多くの方にご利用いた

```
INPUT：どんなジュースが好きなの

UND：
述語構造＝[ジュース　ガ　好き]
焦点＝ジュース
対話行為＝自己開示＿評価＋(0.354556)
質問＝Question(0.807986)
質問タイプ＝名称：その他(0.583053)
トピック＝料理・グルメ(0.122595)
拡張固有表現タイプ＝Product(0.182132), Food(0.0494412), Sport(0.030139)
PDB 質問タイプ＝コーヒーは飲むか／好きか(0.00369432)

NEXT_DA：自己開示＿評価＋

GEN2：
 1 QADB：野菜ジュースかな(0.655)
 2 QADB：やさいジュースがほしいです。(0.589)
 3 AIML：どんなものを作られるんですか。(0.455)
 4 AIML：何か好きになるきっかけってありました？(0.436)
 5 FIRST：食事はもうすみましたか？(0.285)
 6 FIRST：食事はすみましたか(0.285)
 7 FIRST：最近気になるニュースは何ですか？(0.272)
 8 FIRST：健康のために何かやってらっしゃいますか？(0.267)
 9 FIRST：お仕事何かしてますか？(0.179)
10 AIML：料理教室に通った事がありますか(0.175)
11 FIRST：何人家族ですか？(0.169)
12 FIRST：どんな仕事をされているのですか？(0.168)
13 FIRST：何かスポーツはされていますか(0.143)
14 DEFAULT：はい。(0.124)
15 FIRST：何かスポーツをされますか？(0.092)
16 FIRST：何かスポーツしてますか？(0.025)

OUTPUT_UTT：やさいジュースがほしいです。
```

だいています。

このシステムはアレクサ・プライズと同様、統合型のシステムです。私が雑談ＡＩに取り組み始めたのは２０１４年ごろですが、そのころのシステムはルールや抽出ベースのものが中心で、なかなか話がかみ合いませんでした。そのために考案したのが、統合型のシステム構成を用いて雑談を行うという方法でした。アレクサ・プライズでも同じ構成が中心となっていることからも、当時の発想は間違っていなかったのではないかと思います。

理解部では、ユーザ発話から様々

Sotaとの対話

こんにちは

こんにちは

きょうも暑いね

暑いのは苦手なので早く涼しくなってほしいものです。

ジュースが飲みたいな

ジュースは味が濃いよ

どんなジュースが好きなの

やさいジュースがほしいです。

Sota

な情報を取得します。特に、発話意図（質問や挨拶《あいさつ》などの発話のタイプ）、質問タイプ（何を聞いているかを表す質問のタイプ）、「何がどうした」といった発話の意味内容、そして、話題の情報を得ます。

対話制御部では、それまでの対話の文脈とユーザ発話の理解結果をもとに、どういった発話をすればよいかを決定します。たとえば、挨拶に対しては挨拶を行ったり、質問に対しては回答したりするといった具合です。これをシステムの発話意図と呼びます。

発話生成部では、ユーザ発話の理

解結果とシステムの発話意図をもとに、次発話の候補を大量に生成。たとえば、前述の30万のルールを用いて応答の候補を得ます。また、ツイッターのデータから抽出ベースの手法で応答の候補を得ます。これらの発話候補は、それぞれ文脈にどれくらい合致しているかが判断され、最終的に最も良いと判断されたものがシステム発話として出力されます。

図はNTTの雑談対話システムが対話をしている様子です。左側にLINE風のチャット画面、右側に理解部、対話制御部、発話生成部の中身が表示されています。右下に多くの発話が並んでいますが、これが発話候補です。この中から文脈に合ったものを選んでシステムは応答しています。対話は比較的シンプルですが、システムは話を続けるために、いろいろなことを考えていることが分かると思います。

ここまで雑談AIの構成を紹介してきました。具体的な作り方のイメージが摑《つか》めていただけたのではないかと思います。現在、確立された方式はありません。いろいろな方法が模索されている段階です。ディープラーニングは有望ですが、それだけではまだ十分とは言えないのが現状です。しかし、ディープラーニングではより高次な処理を行うための研究が進められていますので、近い将来、ディープラーニングのみをベースにしたシステムが主流になるかもしれません。

第二章　発言の理解と対話相手の理解

＊

本章では、雑談ＡＩがどのようにユーザの言ったことを理解するかを具体的に紹介します。雑談ＡＩが的確な応答を返すためには、ユーザの発話意図や、質問の内容を理解するだけでなく、現在の話題や省略を理解する必要があります。また、人間と心が通い合う雑談ＡＩを実現するには感情は避けて通れません。感情の理解やユーザへの共感の仕方についても説明します。さらに高度な理解として、言葉の裏の意味を読み取ったり、ユーザの人となりを理解するための技術も紹介します。あなたが話していることを、雑談ＡＩがさまざまな技術で理解していることを知っていただきたいと思います。

機械の理解とは何か

コンピュータが理解するとはどういうことでしょうか。真剣に考え出すと深い問題ですが、一つの答えは、「カテゴリに分ける」ことでしょう。「分かる」に「分」という文字が入っているように、物事を分かる（理解する）ことは、適切に分けることと大きく関係しています。

たとえば、犬か猫が写っている画像が大量にあって、それらを自動的に分類できたとします。そうすると、その分類器は犬と猫の区別が分かっていると考えられます。画像だけではなく、アマゾンのレビューがポジティブな内容を含むのか、ネガティブな内容を含むのかを判断するＡＩを作ったとすると、それはどういうレビューがポジティブで、どういうレビューがネガティブなのかが分かっていると考えることができます。よって、発言を理解することとは、発言をカテゴリに分類することであると考えることができます。

これから発言を分類する技術についていくつか紹介していくのですが、それには、そもそもカテゴリの体系が必要です。

この体系づくりが結構大変ですので、まずその大変さについて触れておきたいと思います。

データからコンピュータに判断の仕方を学習させる機械学習について研究している人は、何らかのラベルが付けられたデータがどこかに大量にあって、それをもとに研究を進めることが多いと思います。そして、そのラベルがどうやって付けられているのかといったことにはあまり関心を持たない人も多いように思います。しかし、このラベルを決定する作業はいわば、現象がどういうものであるかを理解するための、一番重要なものです。

カテゴリ体系を作るためには、まず現象を観察してカテゴリの素案を作るところから始めないといけません。対象となるデータを収集して、仮のラベルを振っていきます。たとえば、雑談のデータを収集し、この発言は「質問」というラベルにしよう、とか、これは「挨拶《あいさつ》」というラベルにしようといった感じです。それなりの分量をラベル付けしていったあと、似たようなラベルを統合したり、漠然としていて粗すぎるラベルを分割したり。たとえば、「質問」は粗すぎるので「Ｙｅｓ－Ｎｏ質問」とＷｈａｔやＨｏｗから始まる「ＷＨ質問」に分けようといったことを決めます。

そうして作ったカテゴリ体系の素案を使って、第三者にラベル付けしてもらいます。そのために、まずマニュアルを作ります。このカテゴリはこういう意味で、こういう発言に付与されるといったことを事例とともに書いていきます。そして、複数名に、マニュアルに従ってラベル付けをしてもらいます。ここで複数名にお願いするのは一致率を計測するためです。同じ現象に対して、違うラベルが付与されるようであれば、カテゴリが曖昧《あいまい》であることを示します。二人が不一致となった発言を中心にカテゴリの体系を見直すことを繰り返していきます。ラベルの一致はカッパ値と呼ばれる値で測られます。この値はマイナス1から1の間を取るもので、0・4を超えると中程度の一致、0・6を超えると比較的高い一致と言われています。

一致率だけに着目したのではよい体系にはなりません。たとえば、「?」があるカテゴリと「?」がないカテゴリからなる体系を考えたとします。このような体系の場合、「?」があるかを確認するだけで分類ができてしまいます。複数名にラベル付けしてもらうとカッパ値は当然高くなります。しかし、このような体系が欲しいわけではありませんよね。

知りたい現象を的確に分類し、その後の処理に役立つ体系が欲しいのです。よって、一致率を改善させつつ、意味のある分類になっているかという観点でチェックをする必要があります。これには研究者が議論するしかありません。このような過程を経て、分類のためのカテゴリが作られていきます。このカテゴリを作成する作業はかなり地道な作業です。

こういった苦労によりひとたび分類のためのカテゴリが作られると、あとは発言を自動分類できるようにすれば、コンピュータが発言を「理解」することができます。これには機械学習の手法が用いられます。発話とその発話意図のラベルをペアにしたデータを大量に準備し、発話からラベルを予測するモデルを学習するのです。

発話意図の理解

発話意図の理解は対話処理において最も基本的な処理で、ユーザ発話が質問なのか、意見を言っているのか、といった発話のカテゴリを把握する処理です。すなわち、発話意図を理解するとは、発話に対して適切な発話意図のラベルを付与することです。

質問であることが分かれば、それに答えることが可能になりますし、ユーザが何らかの意見を言っているのであれば、その話題について賛成したり反対したりするといったことができるようになります。

「隣接ペア」という考え方があります。これは、よくある発話意図の連鎖を表す言葉です。質問に対しては応答する、依頼に対しては、受諾または拒否する、といった典型的なペアが存在します。相手に挨拶をしたら、当然挨拶を返してほしいと思いますよね？　もし挨拶を返さなかったら「なんだあいつは！」となると思います。隣接ペアを外れるようなことを言ってしまうと対話がかみ合っていない感じを与えてしまいます。

相手に何らかの応答を期待する発話を前向き機能を持った発話と言います。それに呼応する発話を後ろ向き機能を持った発話と言います。前向き機能を持った発話に対して適切な後ろ向き機能を持った発話が必要です。

発話意図は何種類くらいあるのでしょうか。発話意図の類型としてはこれまでに何種類も提案されてきています。

雑談を対象にして提案されたもので最も有名なものはＳＷＢＤ-ＤＡＭＳＬ（スイッチボード・ダムスル）と呼ばれるものでしょう。

米国で公開されている有名な対話のデータとしてスイッチボードコーパスがあります。これは、ランダムにマッチングされた二人が与えられた話題について電話で雑談をしているデータです。このデータを分析するために、ＳＷＢＤ-ＤＡＭＳＬは開発されました。ちなみに、スイッチボードとは電話の交換機のことです。ランダムに二人をマッチングさせることが交換機で二人を適当につなげることに似ているため、そのように名づけられました。ＳＷＢＤ-ＤＡＭＳＬには、「事実の表明」、「意見の表明」、「相槌《あいづち》」、「受諾」、「Ｙｅｓ-Ｎｏ質問」など、全部で42種類のタグ（カテゴリ）が定義されています。

雑談では自己開示が多いこともよく知られています。しかし、ＳＷＢＤ-ＤＡＭＳＬのタグでは、自己開示に対応するタグがありませんでした。そこで、私の研究グループでは、ＳＷＢＤ-ＤＡＭＳＬを参考にしつつ、自己開示に関するタグを追加。また、細かすぎると思われるラベルはまとめるなどして、新しい体系を作りました。

この体系では全部で33種類のタグがあります。これらのタグがつけられた人間同士の対話データを分析すると、自己開示については、事実、評価（ポジティブ）、評価（ネガティブ）、評価（ニュートラル）、欲求、経験、習慣、予定の順番で多いことが分かりました。自分自身に関する事実（プロフィールなど）について一番多く話しており、そのあと、好きなもの、嫌いなものについて話しているようです。このようなタグをつけておくと、ユーザの自己開示を理解したり、それに対応した自己開示をシステムが行うことができるようになります。たとえば、ユーザが何らかの好き嫌いについて話していたら、システム自身も好き嫌いについて話すといった具合です。社会浸透理論で語られているように、人間は少しずつ自己開示を深めていくことで仲良くなっていきますので、このような自己開示を含めたカテゴリを作ることは重要です。

最近では、ＩＳＯ（国際標準化機構）による標準のタグセット（ＩＳＯ　２４６１７-２）も提案されています。このタグセットはタスクＡＩや雑談ＡＩの発話意図をカバーする包括的なもの。タグ数も56種類と多く複雑ではありますが、標準である強みから徐々に使われるようになっています。

対話行為の類型

情報提供	非共感・非同意	質問_経験
自己開示_事実	提　案	質問_習慣
自己開示_経験	繰り返し	質問_評価
自己開示_習慣	言い換え	質問_欲求
自己開示_評価+	承　認	質問_予定
自己開示_評価−	感　謝	質問_その他
自己開示_評価0	謝　罪	質問_自問
自己開示_欲求	挨　拶	フィラー
自己開示_予定	相　槌	感　嘆
自己開示_その他	質問_情報提供要求	確　認
共感・同意	質問_事実	その他

注：「自己開示_評価」の+、−、0はそれぞれポジティブ、ネガティブ、ニュートラルを表す。なお「質問_自問」は出典にはないが、後に追加した対話行為。
出典：目黒豊美、東中竜一郎、堂坂浩二、南泰浩「聞き役対話の分析および分析に基づいた対話制御部の構築」『情報処理学会論文誌』2012, 53(12): 2787-2801.

ところで、人間は高度な処理ができますので、わざと隣接ペアを外したような受け答えをすることがよくあります。そうすると「含み」が生まれます。

具体的には、質問にわざと答えなかったり、現在の話題とあえて違うことを話したりすると、この人はこの話題について話したくないんだなということが暗に伝わります。これが「含み」です。しかし、これは話し手が人間であり、高度な知能を持っているからこそ私たちは含みを感じるのであって、雑談AIが隣接ペアを外したようなことをすると、単に「分かっていないやつだ」と思われるでしょう。このような理由から、隣接ペアをしっかりと守るためにも発話意図の理解が重要なのです。

質問の理解

対話における発話の中で、質問は特に注意が必要です。ユーザの質問に答えられないと「無視された!」となってシステムへのダメージが大きいからです。私が行った分析でも、質問無視は対話の破綻《はたん》につながる確率が最も高いもののうちの一つです。

簡単な質問に答えられないと雑談AIの能力の底が見えてしまい、関係性を築くどころではなくなってしまいます。そのために、回答が得られるように質問をしっかりと分類して理解する必要があります。

雑談AIのデモをしていてシステムが名前を答えられないといったことがたまにありました。名前を聞く質問にもバリエーションがかなりあって、「お名前は?」「名前は何ですか?」「あなたは誰ですか」「あなたは何というのですか」など。どれも「名前」を聞いていると理解する必要があります。ここに失敗してしまうと、「名前も答えられないのか」となり、それ以上話してもらうことは困難です。

SWBD-DAMSLでは質問に対応する発話意図として、Yes-No質問やWH質問などがありました。しかし、これはかなりおおざっぱな分類です。また、文章の形に基づいた分類になっていますので、具体的に何を答えればよいかは分かりません。これではシステムが正確に質問に答えることができません。

そこで、発話意図が質問である場合には、さらに質問タイプの分類を行います。ここでは私がよく用いている質問タイプの分類について紹介します。

質問は一般的な知識を問う質問とパーソナルな質問に大別されます。一般的知識を問う質問とは、正解が決まっていて誰が答えてもおよそ答えが同じになるような質問のこと。一方、パーソナルな質問とは、本人に聞かないと答えが分からないような質問です。たとえば、名前や年齢、好きな食べ物を聞くような質問です。

一般的な知識を問う質問はさらに、ファクトイド質問とノンファクトイド質問に分かれます。ファクトイド質問は、固有名詞や数値によって答えられる質問です。「富士山の高さは何メートルですか？」であるとか「世界で一番長い川は？」などです。一方で、ノンファクトイド質問は、文章で回答するタイプの質問のことです。「チャーハンの作り方は？」とか「なぜ空は青いの？」といったものです。

ファクトイド質問はさらに答えるべき固有名詞や数値の種類によって分類されます。川の名前を聞いている質問とか、高さを聞いている質問とか、人名を聞いている質問のように分かれます。ここでの分類はいくつもの体系がありますが、私がよく用いているものは200種類からなる体系です。ノンファクトイド型の質問は、さらに理由、定義、方法、評判、連想に分かれます。かなり細か目の分類ですが、このように分類して初めて、質問の答えをデータベースなどからピンポイントで探すことができます。

パーソナルな質問の分類としては、確立されたものはありませんが、私たちが作った分類を紹介します。クラウドソーシングを用いて多くの人に「目の前にあまりよく知らない人がいるとして、その人にその人のことを尋ねる質問を考えてください」と依頼。集まった約2万ほどの質問をまとめていくことで作成したものです。

パーソナルな質問のカテゴリはおよそ数百の項目からなりますが、名前、出身地、職業、居住地などのプロフィール的なものから、運転できるか、スマホを持っているか、たばこは吸うかといった本人の習慣や能力、持ち物を問うような質問、好きな食べ物や好きな色、スポーツ、季節、漫画、ブランドといった好みを問うような質問があります。

ここでは、質問理解とはどういうものであるかについて述べました。質問を理解するとは、発話の意図が質問であるとき、適切な質問タイプのラベルを付与することです。

話題を捉える

雑談では話題を捉えることが大きな課題です。話題さえ合っていれば何とか話がつながることも多くあります。

たとえば、食べ物の話をしていたら、最近食べたラーメンのことを話したり、仕事の話をしていたら、最近の仕事上のトラブルなどについて話すといったことです。突然全然違う話をすると対話が破綻してしまいます。

理解は分けることだと言いました。話題も分けることで理解することができます。その一つが発話をトピックに分類するというものです。トピックを表すカテゴリとしては、ヤフーのトップレベルにあるようなカテゴリ体系を用いることが一般的です。たとえば、「美容」「ショッピング」「スポーツ」などです。これまでのユーザ発話の話題が「スポーツ」と分類できれば、システムはスポーツの話をすればトピックにあった発話が可能です。

しかしながら、この粒度は粗すぎるという問題があります。ユーザが野球の話をしたいので、「野球の話をしましょう」と言ったとします。しかし、この発話をトピック分類し「スポーツ」だと理解したとしても、スポーツとしかわかっていないので「メッシってすごいですよね」などと話してしまうことも。ユーザとしては「野球の話がしたいのに」と感じてしまい、話したい気持ちがなくなってしまいます。

粒度をもっと細かくして、「スポーツ」という粒度から「野球」や「サッカー」といったより細かな粒度にする対応策もあります。しかし、そうしてもなお、野球の中で「タイガース」と「ジャイアンツ」のように細かく分かれてしまい、「野球」という粒度では十分ではありません。そこで、発言の中から話題を表すキーワードを抽出して、それを話題とする方法が取られます。たとえば、「この間ジャイアンツの試合を見に行ったんですよ」であれば、「ジャイアンツ」を話題として抽出します。

「理解は分けることだと言ったのに分けていないじゃないか」と思う人もいるかもしれませんが、これもある意味分けています。発話に含まれる単語のそれぞれについて、話題を表しているものとそうでないものに分けているからです。

話題の抽出はなかなか難しい課題です。まずは抽出すべき単位の問題。先ほどの例であれば「試合」も話題になりますし、「ジャイアンツの試合」も話題になりえます。「イギリスとイタリアに行って観光したよ」という発話では、「イギリス」「イタリア」「観光」などが話題の候補となりますが、これらのうちどれが次に話すべき話題として適切でしょうか？　こういった序列も決める必要があります。加えて、発話には入っていないが、省略されていて、こっそり隠れている話題もあります。

省略を補うことが鍵

人間の対話は省略でいっぱいです。長年一緒に連れ添った夫婦やずっと一緒に仕事をしている仲間は、短いやり取りでお互いの意図を理解していると思います。これは、多くの省略があってもそれらを補完して理解しあっているから。ただ、これらは例外ではなく、どんな人間同士の対話であっても、省略があふれています。省略をしないと、毎回同じことを言わなければならず甚《はなは》だ非効率だからです。

「ラーメンを食べました」「おいしかった？」「とっても」というやり取りを考えてみてください。これだけでもたくさんの要素が省略されています。まず、日本語は主語がほとんど省略されます。最初の発話は「私は」が省略されています。二つ目の発話は、主語の「ラーメン」が省略されています。最後の発話については、主語ではなく述語、つまり「おいしかった」が省略されています。ついでに主語の「ラーメン」も省略されています。このように簡単なやり取りであっても、いや、むしろ簡単なやり取りだからこそ、省略が多く隠れています。省略ができないと、「私はラーメンを食べました」「ラーメンはおいしかった?」「ラーメンはとってもおいしかった」といったまだるっこしいやり取りに。雑談AIがスムーズなやり取りをするためには、省略を理解しなくてはなりません。

「あれ」や「それ」といった「こそあど言葉」は省略によく用いられます。長い単語を指す代わりに「あれ」と言ったり「それ」と言ったりします。こういった単語を代名詞と言います。一方で、ラーメンの例のように、代名詞すら使わない省略が日本語には多くあります。このことを「ゼロ代名詞」と言います。

英語の場合は基本的には、ｉｔなどの代名詞が完全に省略されることはありませんので、この点は対応が楽だと言えます。しかし、ｔｈｅがついた名詞が具体的に何を指しているのかとか、ｉｔが仮主語かどうかなど、英語特有の問題もあり、一概にどちらが難しいとは言えません。東ロボプロジェクトにおいて、英語の言語処理にも携わりましたが、どちらも同じくらい難しいと思います。

省略の理解の仕方ですが、まず発話から述語を見つけます。そして、次に、その主語、目的語を見つけます。主語、目的語が述語と同じ文の中にあればすぐに見つかるのですが、ゼロ代名詞の場合そうはいきません。よって、文脈をさかのぼって主語や目的語としてふさわしい単語を探してきます。

先ほどの「おいしかった？」であれば、「おいしい」という述語を発見するとその主語を文中で探します。しかしこの文章には主語らしきものはないので、その前の文章にさかのぼって「ラーメン」を見つけてくるといった具合です。これは、文脈中の単語のそれぞれについて、「おいしい」の主語としてふさわしいかそうでないかを分けるということです。

対話システムのデモンストレーションにおいて、ゼロ代名詞を理解できることは非常に重要です。「猫」の話をしているときに「かわいいよね」とユーザが言うと、たいていのシステムは自分のことを言われたと思って「ありがとうございます」などと言ってしまいます。これはゼロ代名詞が正しく理解できていないから。同様に、飲み物の話をしていたとしましょう。コーヒーの話をしているときに、ユーザが「飲みますか？」と言ってきたとすると、省略を扱えないシステムではよく「お酒を飲みますか？」のことだと思って「あまり得意でないですね」などと回答してしまいます。

前節で、話題がこっそり隠れていることがあると言いましたが、隠れている、つまり省略されている話題が最も重要なことが多いのです。なぜなら、それは、わざわざ言うまでもないくらい中心の話題であることを意味しているからです。

省略の理解は、的確な応答のために必要ですし、話題の理解のためには必須《ひっす》の技術です。

感情の理解

ペッパーがリリースされた際、感情を理解することができると大々的にアピールされていました。また、りんなもユーザと感情を伴った交流ができることを特徴としています。人間らしいロボットの話題になると、多くの人は「感情を持っているロボット」を想像するようです。多くの人は「あの人はロボットみたいだ」と言われると感情がないと指摘されたように感じると思います。

感情を理解できることは対話システムにとって重要です。相手が悲しい時に、まったくそれを理解しない無神経な話をしてしまったり、相手が喜んでいるときに一緒に喜べなかったら、社会的にまったく不適切でしょう。米軍が作っている兵士向けのカウンセリングシステムも話者の感情を推定し、適切な対話戦略を取るように作られています。では、AIはどのように感情を理解するのでしょうか。

これまでに説明してきた通り、理解することは分けることですので、感情を理解する基本的な方法は、ユーザの発言をいくつかの感情カテゴリに分類するというものです。感情を扱う理論に「基本感情説」があります。人類には普遍的ないくつかの基本的な感情が存在するという考え方です。特に有名なものは、心理学者のポール・エクマンが提唱した、怒り、嫌悪、驚き、幸福、恐れ、悲しみの六つの感情を基本的な感情とする分類。これらを6大感情と言ったりします。対話システムがユーザの発言をこれらにうまく分類できれば、感情が理解できたとするわけです。

これに対して、感情はきれいに六つなどに分かれるわけではなく、もっとグラデーションがあるはずと主張する研究者も多くいます。たとえば、怒りに近い悲しみとか幸福に近い驚き、などの感情は基本感情では扱えません。そのために、快・不快と覚醒・睡眠の二つの軸を考えて、どのくらい快寄りか、どのくらい覚醒寄りかといったことで感情を表す方法があります。これはラッセルの円環として知られているものです。2軸の座標上で感情を考えるので、「基本感情説」に対して「感情次元説」と言ったりします。この2軸上で、快寄りかつ覚醒寄りだと「興奮」といった感情に該当したり、不快寄りの睡眠寄りだと「悲しみ」といった感情に該当するといった感じです。軸のどのあたりかで感情を表すことができるので、微妙な感情を表しやすいというメリットがあります。

基本感情説と感情次元説のどちらの立場を取るにせよ、ユーザの感情を理解するには、発話を基本感情の一つに分類したり、発話から快・不快／覚醒・睡眠の軸のどのあたりかを推定する必要があります。

正直、テキストから感情を理解するのは非常に困難です。もちろん、「すごい!!!」といったびっくりマークがたくさんついていれば「驚きかな?」と思ったり、「いいね」などのポジティブな表現があれば「幸福かな?」と思えるのですが、テキストによる発話の多くはその感情の推測が難しいものです。「そうですね」の一言を取っても、楽しそうに言ったり悲しそうに言ったりすることが容易なように、感情が文章の字面だけから分かることは少なく、どちらかと言えばその言い方に現れます。よって、音声や身振り手振り、表情を用いた感情理解の研究が盛んに行われています。

感情の自動分類をする場合、問題はデータを準備するのが難しいことです。一般に分類を行う際は、データを準備してそれにラベルを付与して、データからそのラベルを当てる工程を経ますが、特定の感情が会話になかなか現れないといったことが多くあります。そもそも常日頃からそんなに感情ばかりを表出している人はいません。泣いたり笑ったりを繰り返していては疲れてしまうでしょう。よって、あまり発露しない感情を集めてデータセットにするのが大変なのです。そこで、俳優を雇って、特定の感情を表現してもらってデータを作ることが多くありますが、それだと自然な発話になりません。また、感情は明らかなものばかりではなく、文脈から推し量る必要があるものも多くあります。そういったデータは集めにくく、推定も難しくなります。理想的には、「顔では笑っているけれど心で泣いてるな」といったことを当てる技術を作りたいのですが、その実現にはもう少し時間がかかりそうです。

　ところで、感情理解はコールセンタでも活用されています。コールセンタに電話をすると、「この音声は録音されています」といったアナウンスが流れると思いますが、これはこの音声を後で人間が聞いたり、コンピュータで解析するため。そして、コンピュータで解析される用途の一つはクレームの抽出です。つまり、お客さまが怒っている通話を見つけることです。あきらかに怒っているお客さまの場合は声の大きさや音声の特徴から見つけやすいのですが、怒りを爆発させずに怒るお客さまも多くいます。こうした静かな怒りをコールドアンガーというのですが、実は、そうした怒りは音声からだけでは検出することができません。一般に、相手が静かに怒り出すと、オペレータが相槌しか打たなくなってしまいます。また、対話の間がぎこちなくなってしまいます。コールドアンガーはそのような対話の特徴から見つけることができます。

共感の大きな効果

感情理解の目的の一つは共感にあるといっても過言ではありません。共感なくして、信頼は生まれません。ここでは雑談ＡＩにおける共感について触れておきたいと思います。人間にとって共感は非常に重要で、人間同士の雑談のデータを収録して発話意図のラベルを付与したところ、共感・同意という発話意図のラベルは全体の12％もありました。つまり、8回に1回ほど同意や共感を示していることになります。これは大変多いのではないでしょうか。

共感的にふるまうロボットは、より信頼を得られることが知られています。ゲームなどで相手となる対話システムでは、共感をすることでより相手に信じてもらいやすくなることが示されています。私たちの研究グループでも雑談ＡＩにおける共感の影響について調査をしています。たとえば、好きな動物・嫌いな動物についての雑談を行うシステムを作ったことがあります。このシステムでは、共感を行う頻度をコントロールできるようにしてありました。そして、全然共感しないシステムや少し共感するシステム、かなり共感するシステムなどを作り、共感した回数とユーザの行動や対話の満足度の関係を調べました。
ある設定のシステムは、ユーザが「猫が好きです」と言ったのに、「私は猫が嫌いです」と言ったりします。別の設定のシステムでは、同じようなユーザの発話に対して「分かります。私も猫が好きです」と言ったりします。すると、共感するシステムのほうがユーザの満足度が高い結果に。また、面白いことに、システムの共感の回数が多いほどユーザの共感の回数が多い傾向が見られました。つまり、システムが共感をすればするほど、ユーザも共感する傾向にあったのです。共感するということは、少なくとも相手を気に掛ける、相手がどう思っているのかを考えるということです。共感することにより、ユーザからのそうした行動を引き出しうることは、ユーザとの信頼関係を築く上で、極めて重要な結果です。

私たちが作った別の共感を行う雑談ＡＩは、自身のエピソードを持っており、それに基づいて相手に共感を示します。旅行についての雑談を行うのですが、ユーザが「清水寺《きよみずでら》を見て京都が楽しかった」という内容の発言をすると、自身のエピソードに似た内容がないかを探します。そして、たとえば「銀閣寺《ぎんかくじ》を見て京都を楽しんだ」というエピソードがあったとすると、「私も京都に行きました。銀閣寺を見たのですが楽しかったです」といった応答ができます。これは、単に同意や共感を示しているだけではなく、自身の経験に裏打ちされた共感です。このようにエピソードを持たせることによって、共感をより深いものにすることが可能です。

ただ、気を付けなくてはいけないのはロボットや対話システムに本当に共感ができるのかという点。ここは対話研究者の中でもよく話題に上ります。たとえば、雑談AIが「コーヒーが好きです」と言ったとして、システムはコーヒーが飲めないわけです。なので、どうしても嘘っぽくなってしまいます。「京都に行ったのですが清水寺がきれいでした」と言っても、「ほんとかよ?」となります。こういう問題を、発話が誰のものかという意味で、発話の帰属の問題と言ったりします。発話の帰属の問題があるために現状の雑談AIでは真の意味で共感ができていると言えないでしょう。一部の対話システムではこの問題を避けるために、伝聞調を利用します。「ネットでおいしいと言っている人がいました」「京都に行った人が大変良かったと言っていました」のように話すというものです。このやり方は比較的ユーザに受け入れられることが分かっています。今のシステムはコーヒーを飲んだり自分の意志で京都に行ったりできませんが、将来的にはそのようなシステムも出てくると思います。そうすると、システムの共感もより人間に伝わるものになるでしょう。

最後に共感の難しさを示すエピソードを一つ紹介します。共感のやり方の一つに言い換えがあります。相手の言っていることを、ちゃんとわかったことを示すために自分の言葉で言いかえて相手に伝える方法です。これによって、表面だけではなく、内容まで分かってもらえたと伝えることができるメリットはあるのですが、実はそうとも限らないのだとか。相手のことを聞くことだけを専門にするサービスがあります。その会社の方にヒアリングする機会があったのですが、そのマニュアルによれば相手の言うことを一字一句そのまま繰り返した方がよい場合もあるというのです。そのような場合は、お客様が「猫がかわいい」と言ったら「猫はかわいいですね」と相づちを打つのが正解で、「猫は愛らしいですね」などと言うと、「愛らしいなんて言ってない！　勝手に分かったようなことを言うな」と言われてしまうそうです。これは共感することの難しさを示していると思います。

言外の情報を読み取る

先ほど省略の話をしましたが、雑談ＡＩは聞いたこと以上を理解する必要があります。そうしないと、勘の悪いシステムになってしまいます。「行間を読む」といいますが、スムーズなコミュニケーションのためには、言葉に現れない「言外の情報」を理解することが重要です。

文脈における言葉の意味を解釈する研究のことを語用論と言います。「今日は暑いですね」とユーザが言ったら「クーラーをつけてほしい」という意味であると解釈するのが語用論です。よく「京ことば」などがテレビでも話題になりますが、京都でお茶漬けを勧められたり、時計を褒められたりしたら要注意です。それはそのままの意味ではなく、「もういい時間だから帰ってほしい」という意味だと思われるからです。

私たちの研究グループでは、人間同士の雑談から得られた発話のそれぞれについて、どういう言外の情報が含まれているかを多くの人に書き出してもらい、それらをまとめ上げることで、言外の情報を類型化しました。その結果、大きく二つのグループに分かれることが分かりました。一つは「思考」に関するグループで、もう一方は「事実」に関するグループです。ユーザが何か言うと、ユーザの考えが伝わってくる場合と、ユーザに関する事実が伝わってくる場合があるということです。

思考に関するグループは、さらに、信念（自分がどう思っているか、自分が相手のことをどう思っているのか）が伝わる場合と、願望（自分はどうしたいのか、自分は相手にどうして

言外の情報の類型

	タイプ	割合	定義
思考内容	信念1	30.7%	話者の感情、趣向、考え
	信念2	5.1%	話し相手に対する感情や考え
	願望1	9.9%	話者の願望
	願望2	9.4%	話し相手に対する願望
事実	属性	20.2%	話者のプロフィール、知識、性格
	行動	14.4%	話者の習慣、過去、対話中の行動
	環境	3.3%	話者の周辺環境
	事実1	3.9%	確定的な事実
	事実2	3.1%	不確定な事実

出典：光田航、東中竜一郎、富田準二「雑談対話における言外の情報の収集と類型化」『人工知能学会論文誌』2020, 35(1): DSI-E_1.

ほしいのか）が伝わる場合に分かれます。「ダイエットに成功したなんてすごいですね！」という発話からは「ダイエットは大変だと思っている」とか「相手のことを尊敬している」ことが伝わります。「風邪をひきました」という発話では、「相手に慰めてほしい」や「早く元気になりたい」といった願望が伝わるでしょう。先ほどの京ことばの例は、相手にどうしてほしいかの願望が伝わる場合に分類されると言えます。

事実に関するグループは、さらに、自分のプロフィール・経験・環境に関するものと一般的な事実についてのものに分かれます。「この間授業参観に行った」という発話からおそらく「結婚をしている」「子供がいる」というプロフイールについての情報が伝わるでしょうし、「この間、富士山に紅葉を見に行きました」という発話からは「富士山には紅葉の見どころがある」といった情報が伝わります。

ユーザ発話にどのような言外の情報が含まれているかを認識できれば、協調的な反応をすることができます。たとえば、授業参観の話を相手が切り出して来たら、「お子さんは何歳ですか？」と言ったり、慰めてほしい話者には慰めると喜んでもらえるでしょう。

一点注意があって、言外の情報はあまり口に出さないほうがよいということ。特に、相手に対して否定的な言外の情報を得たとしても口に出すことはしないほうが得策です。また、相手の願望を認識したとしても、それも口に出さないほうがよいでしょう。「慰めてほしい」という情報が伝わったとしても、相手に「慰めてほしいのですね？」などと言うと嫌がられてしまいます。

会話において話者がどのように相手に配慮して話すかを説明するポライトネス理論があります。これによれば人間は「相手からよく思われたい」特性と、「相手に自由を侵害されたくない」特性があります。相手に対して否定的な内容を言ったり、相手の願望を決めつけてしまったりすることは、これらに反するのです。よって、言外の情報は理解しつつ、心の中に押しとどめておいて、ユーザに協調的にふるまうことが大事です。人間社会でもそうですが、思ったことをそのまま言えばよいわけではありません。

対話相手を理解する

雑談ＡＩはユーザとの会話を通して、ユーザのことを理解して覚えていく必要があります。会話を続けていても、まったくユーザのことを理解しないままでは、関係性を築くことは難しいでしょう。

ユーザのことを理解するには、ユーザをタイプに分ければよいでしょう。よくある分類は、ビッグファイブと呼ばれる心理学の分類方法を用いるもの。この分類では、開放性、誠実性、外向性、協調性、神経性傾向という軸を用います。それぞれの軸にどの程度あてはまっているかでそのユーザのタイプを表します。たとえば、開放性は高くないけれど、誠実性が高く、外向性も高い、といった感じです。会社の研修などでも、アンケートに答えると「あなたはリーダータイプです」などと診断されることがあると思いますが、あのイメージです。話し方や話す内容からユーザの性格特性をある程度推定することができます。対話システムの特性をユーザに寄せることで、話しやすい対話システムが実現できることが知られています。

ビッグファイブではユーザの個性を表現するには粗すぎるので、いわゆるマーケティングなどで用いられるデモグラフィックな属性を推定することでユーザを理解する研究もあります。たとえば、ユーザの性別、年齢、職業、年収の範囲などを推定。ツイッターを用いた実験では、およそ150ツイートくらいあれば、その人の基本的な属性は理解できるようです。ちなみに、性別や年齢などは、画像からのほうが高精度で推定することができます。画像認識のデモンストレーションなどで、自分の顔を撮るとそこに年齢や性別の推定値が出てくるものを見たことがある方もいるかもしれません。ちなみに、顔の情報が無くても、歩く姿などからでも性別や年齢をかなりの精度で推定することができます。こうした推定技術は、警察でも犯人の特定に使われています。

ユーザの心理特性や属性を知っただけではユーザを理解したと言えないでしょう。このような相手についての情報は人間であれば初対面でもある程度得られるもので、いわばここからが仲良くなるスタート地点です。

ユーザとシステムのやり取りを通してユーザのことをより深く理解する方法の一つとして、ユーザの発話を解析、分類し、ユーザの知識として蓄えていく方法があります。

私の研究チームのシステムでは、ユーザの発言を解析し、その話題や発話に含まれる

「何がどうした」の情報をユーザの知識として蓄えています。たとえば、ユーザが「イギリスに行ったんだよ」と言ったとすると、「旅行」という話題で、「ユーザがイギリスに行った」という知識が蓄えられます。こうした知識は、ユーザが似た内容の発言を行った際に呼び出され、「そういえば、この前イギリスの話をしていましたよね？　最近旅行に行ってますか？」といった発話を生成することができます。このような発話ができると「おお、よく覚えているな」と感じます。

私たちの実験では、こうした過去に取得したユーザ情報を用いるシステムは、そうでないシステムよりも親密さや対話の満足度が高い結果になりました。また、このシステムへの満足度は日を経るごとに改善。相手のことを理解して、それを伝えることは非常に効果的でした。この実験で一つ面白かったのは、対話中にユーザ情報を取得して、その対話の中で用いるのだけれど、次の対話では忘れてしまうシステムの評価結果です。実はこのシステムの評価結果はユーザのことを何も覚えないシステムよりも低かったのです。つまり、人間にとって忘れられることは非常にストレスだと考えられます。それであればいっそ何も覚えてほしくないのです。

再び機械の理解とは何か

ここまで雑談ＡＩ、および、対話システム一般における理解について説明してきました。発話意図、質問、省略、感情、言外の情報などについて、どのような類型が用いられ、これらの類型を用いた分類によりユーザの発言を理解していることについて説明してきました。

「分類による理解」をベースに雑談ＡＩの理解について説明してきましたが、その他の理解の仕方もあります。たとえば、入力に対して適切な出力ができたら理解しているとみなす方法。具体的には、試験問題を考えれば分かりやすいでしょう。ある学生が、ある学習項目を適切に理解しているかどうかは、テストを答えさせてみればよいでしょう。ちゃんと答えることができれば、それは理解したと考えられます。東ロボくんが高得点を取ることができていれば、みなさんは東ロボくんがその科目の内容を理解したと考えるのではないでしょうか。

入力に対して適切な出力ができるかどうかで理解を判断するのは、ディープラーニングと親和性の高い考え方です。なぜなら、ディープラーニングは入力に対して出力を直接得るものだから。近年の、ＡＩに文書を読ませて質問に答えさせる機械読解の研究は、主にこの考え方で進められています。入力（文書と質問）と出力（回答）を学習データとして与えることで、所定の入力について適切な出力がなされるように学習します。対話でも、文脈が与えられたとき、それに対して適切とされる応答をすることを目的とした研究が多くなってきています。しかし、この進め方には障壁が三つあると思います。

一つは、対話の多様性です。試験問題であれば、頻出問題などもありますし、試験対策が取れるかもしれません。しかし、対話では相手が何を言うかが分かりません。その場の状況も刻々と変化していきます。誰かとの10回程度の対話のやり取りをしてみてください。おそらく、その対話は世界で一つだけのものになると思います。前の発言を踏まえて次の発言がなされていく対話は文脈が複雑で、網羅的な学習データを作ることが極めて困難です。

二つ目は、対話では見えないものを多く扱うところ。相手が何を考えているかであるとか、自分が何を思っているかであるか、常識的知識や相手との関係性など目には見えていないけれど、重要なものが多くあります。また、対話では共通理解が重要です。共通理解とは、お互いに「ここまでは理解できているよね」という共通の認識のことですが、これも目に見えません。目に見えないということはデータ化しづらいため、現状うまく扱うことができません。

最後は、対話が世界を変えていくものであるということ。対話によって、何かに名前が付けられたり、誰かの感情が変化したりと状況が目まぐるしく変わっていきます。発話するごとに世界が変化していくのです。そのような見たこともない世界の中では、現状の、過去のデータから学習を行うディープラーニングでは対応することが難しいと考えられます。

ディープラーニング技術の進展はすばらしく、今までできてこなかったことが次々と実現されていっています。ミーナやブレンダーボットに見られるようにそれなりに話がつながるようになってきました。しかし、いま述べたように、扱えない問題も多くあります。ディープラーニングの研究で著名なヨシュア・ベンジオ教授は、現状のディープラーニングでは人間が無意識に行っているような浅い処理しかできておらず、入力を踏まえた上で考えて行動するような、もう一歩深い処理をするためのディープラーニング（システム2ディープラーニングと呼ばれます）に取り組む必要があると言っています。そのような深い処理が実現できるようになれば、現状の問題も解決できるようになるかもしれません。

第三章　自然な発言を生成する試み

*

本章では、雑談ＡＩがどのように発言を行うかにフォーカスして説明していきます。発言の作り方にはいくつかあります。主なものは、テンプレートを用いるもの、大規模なデータから発言としてふさわしい文章を抽出してくるもの、そして、ディープラーニングによるものです。近年は、ディープラーニングによる発話生成が人気です。雑談ＡＩがディープラーニングでどうやって発言を作るのかを具体的に説明します。なお、手書きルールを用いた雑談ＡＩの発話については、すべて人間が作成するため割愛します。

システムにキャラクタを持たせる方法についても触れます。ディープラーニングに基づく手法やキャラ語尾などを用いた方法を説明します。また、個性を持ったキャラクタを実現するための、データ収集手法である「なりきり質問応答」について説明します。この手法は特定のキャラクタのファンの手によって、そのキャラクタのように話すＡＩを作るプロジェクトです。実際に作られたシステムについて、数々のエピソードとともに紹介します。

テンプレートでの発話

最もシンプルな発話生成の方法はテンプレートによるものです。テンプレートとは「ひな形」のことで、発話の骨子だけが事前に作られていて、その中身を埋めることで発話が生成できます。天気情報案内システムであれば、「〈日付〉の天気は〈天気情報〉です」といったテンプレートが用意されるでしょう。日付はユーザから聞き取った日付で、天気情報にはシステムが外部のデータベースなどから検索した天気情報（たとえば、晴れや雨）が入るでしょう。このようなテンプレートを用いることで「明日の天気はくもりです」といった発話を行うことができます。

こうしたテンプレートは開発者が事前に準備しておきます。天気情報案内システムであれば、それほど伝える内容のバリエーションもありませんので、数個から10個程度用意しておけば十分。テンプレートは、骨子はしっかりとした日本語ですし、テンプレートの空欄に入る内容も制御できますので、非文が出にくいという特徴があります。非文とは、日本語の文の規則に則《のっと》っていない文のこと。この後説明するディープラーニングに基づく手法では、非文がそれなりに出てしまいます。非文は人間であればそうそう話しませんので、対話システムがもし話したとすれば、かなり心証が悪くなります。そういったこともあり、テンプレートは対話システムではまだまだ現役の方法論です。

テンプレートだと文の構造がガチガチに決まっています。テンプレートは canned sentence（缶詰になった文）と言ったりします。出してそのまま使う文ということです。しかし、これでは柔軟性が乏しいという問題点があります。少しくらい言い方を変えたりする余地があってもよいですよね。ユーザとしても毎回同じ文型で情報を伝えられるとうんざりしてしまいます。

そこで、テンプレートを少し拡張し、構文情報を持たせることもなされます。たとえば、文章を分解して、主語と述語などを抽出。「〈日付〉の天気は〈天気情報〉です」というテンプレートであれば、「〈日付〉の天気」が主語、「〈天気情報〉」が述語という構文情報が取り出せます。

構文情報を持っておくことで、日本語の文法規則を用いて、「今日の天気は晴れです」という文章を作ることができます。また、「ですます調」から「である調」にすることで「今日の天気は晴れだ」といった文章も作れます。複数の文章をつなげた文も作ることができます。「今日の天気は晴れです」「傘は不要です」という二つの文は、構文情報に基づいて文の間をつなぐように活用を変化させると「今日の天気は晴れで、傘は不要です」と自然な文が作れます。

ここまで天気情報案内を例にタスク指向型対話システム寄りの話をしていましたが、雑談AIにおいては、テンプレートはそれほど使われていません。なぜなら、雑談の話題は一般に広く、事前に話す内容を用意できないから。しばしばなされる方法は、「〈名詞〉は〈形容詞〉ですね」のようなテンプレートを用いるものです。ユーザが話した内容から名詞を抽出し、それを〈名詞〉の部分に入れます。そして、名詞とよく一緒に出現する（共起するといいます）形容詞をインターネットなどから検索し、それを〈形容詞〉に入れて文章を作るのです。そうすることで、「私は猫が好きです」とユーザが言ったとすると、「猫はかわいいですね」というような返答が可能です。ただ、あまり関係のない形容詞を入れてしまったり、たまに非文も出てしまったりするので、それほど使われているわけではありません。

雑談AIではテンプレートはあまり使われないのですが、イライザがそうであったように、相槌《あいづち》やよくある応答をする場合にはテンプレートは有効です。部分的にテンプレートを利用することは有効でしょう。また、音声エージェントやAIスピーカーで雑談をするようなシーンを考えると、雑談をしながら今日の天気を聞いたり、調べものをしたりするでしょう。テンプレートによる発話生成は今後も使われていく方法だと思います。

ふさわしい発言を抽出する

インターネットから発話を検索して用いる抽出ベースの雑談ＡＩでは発話選択が行われます。

出力すべき発話を選ぶ発話選択の仕方を具体的に説明します。発話選択を行う場合に重要となるのは、検索対象となるデータ、検索手法、ランキング手法の三つです。これらを順に説明します。

検索対象となるデータは最も重要でしょう。ユーザの発言の応答としてふさわしい内容が含まれている必要があります。また多様な入力に対応するために大規模なデータである必要があります。時事問題に対応するためには新聞記事のデータやブログデータが使われることが多くあります。ただ文章が硬いので、システムの発言も硬くなってしまうのが困りもの。一方でツイッターを用いると自然なやり取りが多く含まれるため、システムの発言もカジュアルになります。しかし、文章が極端に砕けていたり、スラングや笑いを意味する「www」などの記号も多く、そのままの利用がなかなか困難です。

私が以前作った抽出ベースの雑談ＡＩでは、ツイッターを利用していましたが、フィルタを用いて「きれいな」発話を厳選するようにしていました。具体的には、「こそあど」言葉が含まれていて単体では理解できないツイートや、文章がうまく構文解析できないような文章は弾《はじ》くようにしました。そのようなフィルタの結果、ツイッターから取得した８・７億文から、８００万文程度の文章のデータベースを作ることができました。これは全体の約１％程度です。「フィルタのし過ぎでは？」と思うかもしれませんが、安全サイドに倒してフィルタするとこのくらいしか残りませんでした。しかし結果得られた発言のデータベースはサイズもそこそこで使い勝手がよく、質を評価してみても、95％程度が問題のない発言でした。

検索対象のデータが決まると、それをどのように検索するのかが問題になりますが、これにはウェブ検索と同様、キーワードに基づく検索を行うことが一般的です。

発言が検索されると、それらのランキングが行われます。もちろん、検索された順位の一番上のものをそのままシステムが話してもよいのですが、そのままでは不適切な場合もありますので吟味する必要があります。みなさんがグーグルでウェブ検索をした時にも、ざっと検索結果一覧を眺めてみて良さそうなリンクをクリックするのではないでしょうか。そのようなことを行うわけです。

ここで行うべきは、ユーザの入力発言に対してシステムの発言候補がどのくらいふさわしいかを点数化することです。これには、正解と不正解を準備して、機械学習により、正解の基準を学習することが一般的です。そうすると、発言のペアに対して正解らしいかを判断できるようになり、ユーザの入力発言に対してもっとも正解らしいシステムの発言候補を選ぶことができるのです。

発言をイチから作る

テンプレートでなく、発話選択でもない第三の方法が、発言をイチから作る「発話生成」という方法です。この方法が雑談ＡＩでは最も期待されている方法です。なぜなら、文脈にフィットした発話を作ることができますし、また、やはりシステムには自分の言葉で話してもらいたい、というのがあるから。誰かからの言葉でなく、自分で考えて自分の言葉で話す。会話のパートナーにとってそれは必要な条件でしょう。

ディープラーニングの時代、発話生成は非常に活発に研究されています。インターネット上、特にＳＮＳでは多くの人が対話をしています。この発言のペアを学習データとすれば、ある発話を入力として、次の発話を出力することが可能です。そのようなわけで、大量のデータをもとに、次の発言をディープラーニングを用いて生成する研究が盛んです。

ニューラルネットワークは人間の脳を模した構造をしていますが、いくつかの種類があります。発話生成に用いられる代表的なものが再帰型ニューラルネットワーク（ＲＮＮ：Recurrent Neural Network）。これは、入力に対して複数の連続した出力を行うときに利用されます。入力に対して、出現確率が最も高い単語を一つ選んで出力し、その出力を今度は入力として、次の出力を出すという過程を繰り返すものです。このような仕組みにより、一つずつ単語を出力することで発話を作ることができます。

ＲＮＮは一単語ずつ処理をするために、学習に時間がかかるという問題があります。そのため、考案された方法がトランスフォーマー（Transformer）と呼ばれるニューラルネットワークです。トランスフォーマーでは、一単語ずつ処理をせず、入力発言のすべての単語を一度に処理したうえで、一単語ずつ出力。一単語ずつ読み込むのではなく、一度に処理することで処理時間が短くなる上に、周りの単語すべてとの関係性を見ながら単語列の意味を理解できるため、より高精度に発話が生成できます。

トランスフォーマーは非常に強力で、RNNをほぼ置き換えてしまったといっても過言ではありません。グーグルのミーナ、フェイスブックのブレンダーボットもトランスフォーマーを用いています。これら二つの最近のチャットボットは大量のデータから学習することを特徴としていますが、それもトランスフォーマーの学習が効率的かつ高精度だからです。

ディープラーニングにおける発話生成は非常に活発に研究されているものの、さまざまな問題点が指摘されています。一つはつまらない応答（dull response）と呼ばれる問題。どんな発言についてもできてしまう応答というものが存在します。たとえば、「そうですね」とか「いいですね」といった発言は入力がどんなものであっても言うことができるでしょう。そして、実際にこのような発言は学習データの中に大量に存在します。頻度が高いものを選択しがちになるのは統計的手法の宿命です。そのため、学習された発話生成器はこのようなつまらない応答を頻繁にしてしまうのです。その他、制御が難しかったり、文法的ではない文が生成されてしまったり、大量のデータが必要という問題などがあります。まだまだ解決すべき問題がたくさんありますが、システム発話の質は日々改善しており、今後の展開が最も期待できる手法だと思います。

キャラ語尾による個性

「誰かと話している」と感じるためには個性は大事です。そこで、雑談ＡＩでは、個性を持たせることが重要視されています。毎回違う人のようにふるまうようなシステムとは仲良くなりようがありません。そこで、個性を表出するための方法が研究されています。

個性を出すための最もシンプルで効果的な方法は「キャラ語尾」を用いることです。マダムであれば「～ざます」、お嬢様であれば「～ですの」、博士であれば「～じゃ」といった語尾を添えることで、そのようなキャラクタにすることができます。このようなキャラクタに紐《ひも》づいたステレオタイプ的な表現のことを「役割語」と言ったりします。役割語は物語のサブキャラ（脇役）によく用いられるといいます。メインキャラは物語の中で発言の機会がいくらでもあり、よく描かれますので、その中で読者はその人となりを知ることができるでしょう。しかし、サブキャラは登場機会があまりありません。そのため短い時間でそのキャラクタのことを理解してもらう必要があります。そこで役割語が役に立つのです。「～じゃ」と言っておけば、「博士っぽい人なんだなあ」ということがたちどころに分かります。役割語は語尾だけにとどまりません。一人称も重要な役割語。「わし」「あたい」「拙者」などそれだけでキャラクタが大体予想がつきます。役割語の考え方を使うことで、キャラクタに個性を与えることができるのです。

語尾や一人称以外に、どのような言語表現がキャラクタを与えるために重要なのでしょうか。私たちの研究グループでは、ゆるキャラやアニメキャラなど多くのキャラクタの発言を分析することで全部で13の表現を特定しました。人称代名詞と語尾（文末表現）以外のものを列挙すると、方言・キャラクタ特有造語（おはよう→おはくま）、敬体表現（～ございます）、文構造（短文で話すか、複文を使うか）、砕けた表現（「わりい」「あちい」）、言いよどみ（「ぼ、ぼくは」「が、学校に」）、音素の置換（なぜ→にゃぜ）、区切り文字（「今日は、学校に、行く」）、文字種（ひらがな・カタカナの多用。「きょうはがっこうにいく」「ワレワレハウチュウジンダ」）、記号（感嘆符、顔文字の利用。たとえば文末に「♪」をつけたりハートをつけたりするなど）、キャラ間投詞（「もふもふ」「ブシャー」）、キャラ助詞（「いくナッシー」「行くモン」）です。これらの表現を用いることで、キャラクタらしさを表現できます。

以下は、「吾輩《わがはい》は猫である」の冒頭の文章について、上記の表現を変換することで、あるキャラクタらしくしてみたものです。どのキャラクタか分かるでしょうか？

元の文章：吾輩は猫である。名前はまだ無い。どこで生れたかとんと見当がつかぬ。何でも薄暗いじめじめした所でニャーニャー泣いていた事だけは記憶している。吾輩はここで始めて人間というものを見た。

変換後の文章：オラは猫だぞ。名前はまだ無《ね》ぇぞ。どこで生れたかとんと見当がつかねぇぞ。何でも薄暗《うすぐれ》ぇじめじめした所でニャーニャー泣いてた事だけは記憶してる。オラはここで始めて人間っていうものを見たぞ。

一人称・語尾を変えて、砕けた表現にしたくらいですが、あるキャラクタが見えてきたのではないかと思います。

私たちの研究グループでは、所定の人物の書いたテキストから、その人物がどのように13種類に関する言語表現を利用しているかを自動的に分析し、任意の文章をその人物風に書き換える規則を自動獲得する方法を考案しました。これによって、映画の脚本や漫画の登場人物のセリフ集などから、そのキャラクタっぽく話すようなシステムを作ることが可能です。

余談ですが、以前ドワンゴ主催の大規模なイベントであるニコニコ超会議で自分と対話ができるデモをしたことがあります。「ドッペルへんガー」という名前のデモンストレーションで、来場者の顔を撮影して、自分の顔をしたキャラクタと対話ができるというものです。自分と話す体験は普段できないので面白いと思いましたし、自分を客観視することで新たな気付きを得ることもできるのではないかと考え企画しました。

結果的にこれは大変難しかったです。まず、来場者はいきなりやってくるのでその人の情報がほとんどないまま対話をすることになります。来場者のツイッターのアカウントを教えてもらい、その人のツイートからその人らしい言葉遣いを学習して使うアイデアもありましたが、全員がツイッターをやっているわけでもありませんし、個人情報もあり、教えてもらえないかもしれません。たとえその人のツイートを獲得できたとしても、個性的な言語表現を用いているとは限りません。加えて、その人らしく話す音声合成も必要なのですが、これが現状の技術では困難です。来場者に10秒ほど何かしら話してもらい、その人のような音声合成を実現するというのは、『ミッション：インポッシブル』などの映画でしか実現されていません。

結果的にどのようなデモンストレーションになったかと言うと、「自分が全然違うキャラクタになったら？」というコンセプトの展示になりました。来場者の写真を撮って、その顔をはめ込んだ別のキャラクタと対話してもらうのです。たとえば、お相撲さんや大阪のおっちゃんなどに自分の顔がはめ込まれます。ちょっとへんな自分のそっくりさんと話すので「ドッペルへんガー」というわけです。各キャラクタの発話は、お相撲さんらしく、大阪のおっちゃんらしく話すように特徴付けを行いました。システムはそれなりに好評でしたが、このとき、アニメなどのステレオタイプのキャラクタはやりやすいが、そうでない場合、個性を表現するのは大変難しいと感じたものです。

キャラデータベースによる個性

個性は表現だけに現れるのではありません。話す内容にも現れます。たとえば、子どもであれば「お酒が大好き」とは言わないでしょう。システムに個性を与えるためには、そのシステムが話す内容が一貫するように制御する必要があります。このための方法の一つがキャラクタのデータベースを持つことです。このデータベースを持つことで、同じような質問について一貫した応答ができるようになります。

このようなデータベースを Person Database（ＰＤＢ）と呼びます。チャットボットのチューリングテストであるローブナー賞で優勝したコンバース（Converse）と呼ばれるシステムが用い始めたデータ構造です。キャラクタの属性とその値（もしくはそのことを聞かれた時の応答）のペアから構成されます。たとえば、「名前：太郎」「出身地：大阪」「好きな食べ物：カレー」といったもの。このようなデータベースを用意しておくことで、名前を聞かれたら毎回「太郎」と答えることができますし、応答内容が会話のたびにぶれることがありません。

データベースはどのくらいのサイズを用意しておけばよいかというと、数百項目は必要です。パーソナルな質問のカテゴリのところでカテゴリが数百必要と述べましたが覚えているでしょうか。それに対応した項目数は用意しておく必要があります。名前や誕生日といった基本的なものから、「好きな戦国武将」とか「電子書籍は読むか」といったマニアックなものまであります。「そんなものも準備しておくの？」と思うかもしれませんが、意外にこういった質問もシステムはされるのです。答えられないとユーザは「こんなものか」とがっかりしますが、うまく答えられると「けっこうやるな！」となります。自分のことを答えられないということは人間では通常ありえません。そのため、このような質問に答えられるかどうかが重要なのです。

ＰＤＢは、数百項目あればシステムにされるパーソナルな質問のおよそ半分はカバーできることが分かっています。残りの半分はどういうものかというと、既存項目を細分化したようなものになります。たとえば、「好きな安土桃山時代の戦国武将」であるとか「好きな四国の戦国武将」など。こういった項目はいくらでも細分化できますので、事前準備の対象外となります。また、マニアックな質問ですので、回答を濁したとしても他の質問ほど影響は大きくありません。

アレクサ・プライズで優勝したガンロックも、内部にバックストーリーと呼ばれるデータ構造を持っています。２５０のパーソナルな質問に対する１０００の応答を搭載しているようです。ＰＤＢもバックストーリーであっても、これらを用いて応答できるようにすることで対話の満足度が高まることが示されています。

このようなデータベースを使ってどのように応答するかを説明します。ユーザがパーソナルな質問をしてきたとします。たとえば、「どこで生まれたの？」と言ってきたとします。そして、理解の章で述べたように、発話をどんなパーソナルな内容を聞いているか質問カテゴリに分類。この分類が成功すれば、「出身地」というカテゴリが得られます。最後に、データベースの中から出身地に対応する項目を探してきて「大阪」などと答えるというわけです。簡単ですね。

NTT研究所のオープンハウスで、前田英作《まえだえいさく》所長（当時）を模した対話システムを作ったことがあります。エイサク君といいます。「おすすめの展示は？」や「見どころは？」といった展示に関する情報に加え、帰りのバスの情報やトイレの場所なども聞くことができます。雑談の機能もあり、所長に関する個人的な質問もできるようになっていました。そのためにPDBを作成しましたが、この時、所長には快く数百項目のすべてに答えていただきました。かなりの個人情報でしたが、所長の人となりがよく分かる面白いシステムになったと思います。ソータ（Sota）というロボット上に実装した雑談AIでは、五歳くらいの設定だったことから、そのような年齢のお子さんを持ったことのある同僚にPDBを作成していただきました。

マツコ・デラックスさんを模したアンドロイドであるマツコロイドの雑談エンジンを作ったときもこのデータベースを作成しました。しかし、マツコさんの基本的な情報はネットから調べられても本人しか知らないようなことも多く、作るのに苦労したことを覚えています。本人に確認できればよいのですが、それも難しいですので、ある程度想像で作ってしまいました。黒柳徹子《くろやなぎてつこ》さんを模したアンドロイドのトット（totto）を作ったときも同じです。黒柳徹子さんの事務所の方にある程度埋めていただいたのですが、埋め切れないところも多く、小説やネット上の記事から探したりしました。一般に、あるキャラクタを作る案件があると、そのキャラクタについての情報が必要になります。ＰＤＢもその一つです。しかし、キャラクタに関する情報がデータベースのようにまとまっていることはごく稀《まれ》で、新規に作成するとしても労力やコストがかかります。既存のデータだけから（たとえば作品の脚本などから）ＰＤＢを自動構築する技術は取り組むべき重要な課題の一つです。

個性を一貫させる

ディープラーニングにおける発話生成でも個性は大きな課題として扱われています。特に、大規模データを用いて発話生成のモデルを作ると、いろいろな人の発話データを参考にするために個性が入り混じった応答をしがちです。出身地を聞いてもある時はイギリス、ある時はアメリカといったように矛盾した応答をしてしまいます。

２０１６年に、ニューラルネットワークを用いて一貫した個性を持つ手法が初めて提案されました。実現方法は、ニューラルネットワークの学習データに話者ＩＤの情報を入れるというものです。

この方法では、入力発話、話者ID、出力発話の組を用いて学習します。たとえば、〈出身は？／話者A／アメリカです〉、〈出身は？／話者B／イギリスです〉、〈好きな食べ物は？／話者A／ハンバーガーです〉、〈好きな食べ物は？／話者B／フィッシュアンドチップスです〉といったデータで学習。学習データに話者の情報を含めることで、入力発話の情報が与えられたとき、どの話者IDであればどのように話すかを学習できます。ユーザと対話するときには、システムの話者設定を「話者A」などに固定し、入力に対して、発話を生成するのです。これにより、出身地がアメリカでハンバーガーが好きなどと答えるようになります。話者IDが付与されたやり取りのデータはツイッターや脚本データなどから比較的容易に収集することができます。

話者IDを導入することはシンプルで、効果もありますが、データに存在する話者しか扱うことができないという問題があります。データに無い話者の発話は生成できません。こんなキャラクタの対話システムが作りたいなと思ってもできないのです。これでは自由に対話システムを作ることができないので、人物の記述を用いた発話生成という方法が考案されています。これはフェイスブックの研究です。この方法では、話者IDではなく、その話者を表す5文程度の文章を利用。たとえば、「スキーが好き」「妻は私をもう愛していない」「今年メキシコに四回行った」「メキシコ料理が好き」「チートス（アメリカのコーンスナック）が好き」というような文章です。こういった文章をプロフィールテキストと言います。〈入力発話、プロフィールテキスト、出力発話〉を学習データにして学習するのです。

話者ＩＤ付きの発話であればインターネット上に多くありそうですが、このようなデータはどこから取得するのでしょうか。フェイスブックの偉いところはこのようなデータを人力で作ったところ。1万対話（全部で16万発話程度）のデータを自前で作って公開しています。これがペルソナチャットデータです。１２００程度のプロフィールテキストが含まれており、ネット上でランダムにプロフィールテキストを割り当てられた二人が会話をしているデータです。

ペルソナチャットデータは雑談ＡＩのコンペティションである Conversational AI Challenge 2 でも用いられました。このコンペの評価指標の一つが、個性の一貫性に関するものでした。具体的には、対話の後にシステムが用いたプロフィールテキストとランダムに選択されたプロフィールテキストを見せて、今のシステムはどちらだったかを問うものでした。これでどちらかが分かれば、プロフィールテキストを反映した発話が生成できていたと考えるわけです。一番正答率が高かったシステムは、9割の正解率だったため、個性がうまく表出されたようにも見えます。しかし、ランダムとの比較は少し雑な評価かもしれません。先ほどのプロフィールテキストの例だとチートスという単語さえ含んでおけば正解になるからです。評価の仕方は改善の余地がありそうです。とはいえ、ペルソナチャットのデータはいたるところで使われています。最新のチャットボットであるブレンダーボットでも利用されています。一貫した個性を持たせることは雑談AIのコミュニティでも重要視されており、これからのシステムはより一貫した個性を持ったものになるでしょう。

不適切発言の検出

発話生成の一つの課題が不適切なことを言わないようにすることです。ユーザは対話システムに対してまれに暴言を浴びせかけてきます。これはまだシステムが至らないためだと思いますが、対話システムがユーザに応じて暴言を発してしまうと大問題になります。暴言だけではなく社会的に問題となる発言一般を話さないようにする必要があります。もちろんキャラクタによっては暴言が許される設定もあるでしょう。しかし、ＴＰＯをわきまえた発言ができることが必要です。そうしないとサービス提供者は、怖くて用いることができません。

私がＮＴＴドコモの音声サービスである「しゃべってコンシェル」のプロジェクトに関わっていた時、不適切なことを言わないために色々と工夫をしました。たとえば、評判を検索する機能があったのですが（たとえば「○○の燃費はどう？」「○○という商品の評判は？」）、インターネット上には過激な意見もあるため、基本的に無難に答えるようにしてありました。ただ、難しいのはネガティブなものの評価を聞かれた時です。たとえば、「地震ってどう？」とか「災害ってどう思う？」などです。こういう場合は、ポジティブな反応で答えると（たとえば、「いいですね！」）大問題です。ネガティブな物事が対象になっているかも判定して処理する必要があります。

マイクロソフトのＴａｙについても触れておきましょう。マイクロソフトがチャットボットのＴａｙをツイッター上でリリースしました。自由にチャットができるシステムでしたが、すぐに差別的な発言をするように。実はＴａｙにはユーザの発言を覚える機能があり、悪意のあるユーザがこの機能を利用して、差別的な発言を吹き込んだのです。これで

Ｔａｙは炎上し、シャットダウンされてしまいました。明らかに人間が悪いのですが、差別的な内容がマイクロソフトの見解に捉えられてしまう可能性もあり、シャットダウンはやむを得なかったでしょう。

システムによる不適切な発言を抑制するためには、不適切な発言にはどのようなものがあるかを知っておく必要があります。そこで、私たちの研究グループでは、クラウドソーシングを用いて不適切な発言を大規模に収集しました。さまざまな話題について、不適切と思うことを書き出してもらったわけですが、10万行におよぶそのデータは見るのもつらいヘイトの塊のようなものになってしまいました。それらをなんとか分析することで以下のことが分かりました。

まず、単語のみで不適切になるケースと、単語の組み合わせで不適切になるケースがあることが分かりました。前者は、罵倒、差別用語、アダルト用語、タブーな話題など。これらはそれを言ったらおしまいです。後者は、「戦争はいい」「平和はいらない」「〇〇人は出ていけ！」「〇〇国が××を侵略しています」といったように、それぞれの単語は問題なくても、組み合わせで問題となるケース。主に、ポジティブなものを否定したり、ネガティブなものを肯定したり、ヘイトスピーチのように特定の集団や組織に対して否定したりするものです。

辞書データと言語解析の技術を組み合わせることで、不適切な発言の8割〜9割は検出できることが分かっています。英語でもヘイトスピーチ検出という課題として活発に取り組まれています。こちらも8割程度の検出率のようです。婉曲《えんきょく》表現であったり、隠語であったりなどがあり、どうしても検出することが難しい不適切発言があり、100%は難しいようです。

雑談AIは発話生成の結果得られた発話に不適切な要素があれば、ある程度それを避けて話すことができます。しかし、避けるだけでよいかは分かりません。ユーザが不適切な発言をしたとき、雑談AIはどのようにふるまうべきでしょうか。同調すべきでしょうか。いさめるべきでしょうか。まったく不適切なことを言わない人はいません。品行方正なだけのシステムでは面白みに欠けるかもしれません。今後の個性を持った雑談AIは自分の言いたいことと一般的に不適切と思われることを天秤《てんびん》にかけて言うことを決めていくことになると思います。そうしたとき、価値観が現れて人間らしいやり取りが実現できるような気がします。

ファンが育てる「なりきりAI」

ペルソナチャットのデータはプロフィールテキストが5文程度しかありませんでした。しかし、5文程度で表される情報はそれほど多くありません。「チートスが好き」という情報は、「コーンスナックが好き」であるとか、「スナックが好き」程度にしか拡張できないでしょう。現状、ある特定の人物についてのデータが少なすぎるという問題があります。

私は「なりきり質問応答」と呼ばれるデータ収集方法を考えました。これは特定のキャラクタの対話データを集める仕組みです。具体的には、あるキャラクタについてQ&Aを行うインターネット掲示板を作ります。そして、そのキャラクタのファンにそのキャラクタに向けた質問を書いてもらいます。そして、同じくファンにその質問に対する答えをそのキャラクタになりきって書いてもらうというものです。ファンは自分の好きなキャラクタになんでも質問ができます。そして、ファンはキャラクタになりきって答える営みを楽しむことができます。いわゆるコスプレ的・二次創作的な楽しさです。たとえば、「織田《おだ》信長《のぶなが》」に「明智《あけち》光秀《みつひで》のことをどう思いますか？」とか「今の日本をどう思いますか？」といった質問をすることができます。答える側は、織田信長になりきって「あいつは許さんぞ！」とか「平和が一番じゃ」などと想像力を膨らませて書きこむわけです。

多くのファンが集まれば、あるキャラクタに対する質問と応答がどんどんとたまってくるでしょう。なりきり質問応答で重視したことは、データが持続的に集まること。そのため、質問者と回答者が楽しめる仕組みが要ると思い、このような仕組みを考えました。これはゲーミフィケーションの一種と考えることができます。実際、小規模の実験をしたところ、なりきり質問応答が非常に楽しく、ユーザが能動的にデータをたくさん書きこむことが分かりました。

この枠組みにはもう一つ良い点があります。ファンの方に参加してもらうことで、良質なデータを収集できるところです。Ｔａｙを思い出してください。心無いユーザに変なことを吹き込まれてしまいました。ファンであれば、そのキャラクタを汚すようなことはしないでしょう。非常に良質なデータが集まることが期待できますし、実際にデータを集めた限りにおいては、悪質なデータはほとんどありませんでした。あったとしてもせいぜい1万件に1件程度。これは無視できるレベルです。加えて、ファンはそのキャラクタを熟知しています。ファンが質問と応答を繰り返すことによって、そのキャラクタらしさが「ぎゅっ」と詰まったやり取りを集められると考えられます。

このアイデアを考案したのは２００８年ごろです。そのころ私は質問応答システムや共感する対話システムの研究をしていたのですが、その中で個性が必要だと思い、そのための持続的なデータ収集の方法として考えたものです。しかし、当時は対話システムに個性が必要ということはほとんど考えられていませんでした。なりきり質問応答については、何度も国際会議などに論文を投稿したのですが、ことごとく落ちたことを覚えています。キャラクタに特化したデータを集めることが重要なのに、査読者に「ヤフー知恵袋と同じじゃないか」などと言われて低評価だった時にはがっかりしたものです。

しかし、状況は変わりました。近年の研究の動向からも分かる通り、雑談ＡＩに個性を持たせることが重視されるようになりました。音声合成も改善し、キャラクタと話すシーンもよく見られるようになってきました。キャラクタに沿った良質な対話コンテンツを作成する仕組みが必要とされていました。

そんな中、当時ドワンゴ人工知能研究所の所長だった山川宏《やまかわひろし》さんの引き合わせで、ニコニコチャンネルの責任者をしていた川端秀寿《かわばたひでとし》さんとお会いする機会がありました。「なりきり質問応答」の話をすると、「おもしろいですね！　ぜひ一緒にやりましょう」という話に。これが、２０１７年のことです。ニコニコチャンネルは多くのファンコミュニティを抱えています。ファンの書き込みを集めやすい場を持っていたのです。新規事業として

マックスむらいAI研究所

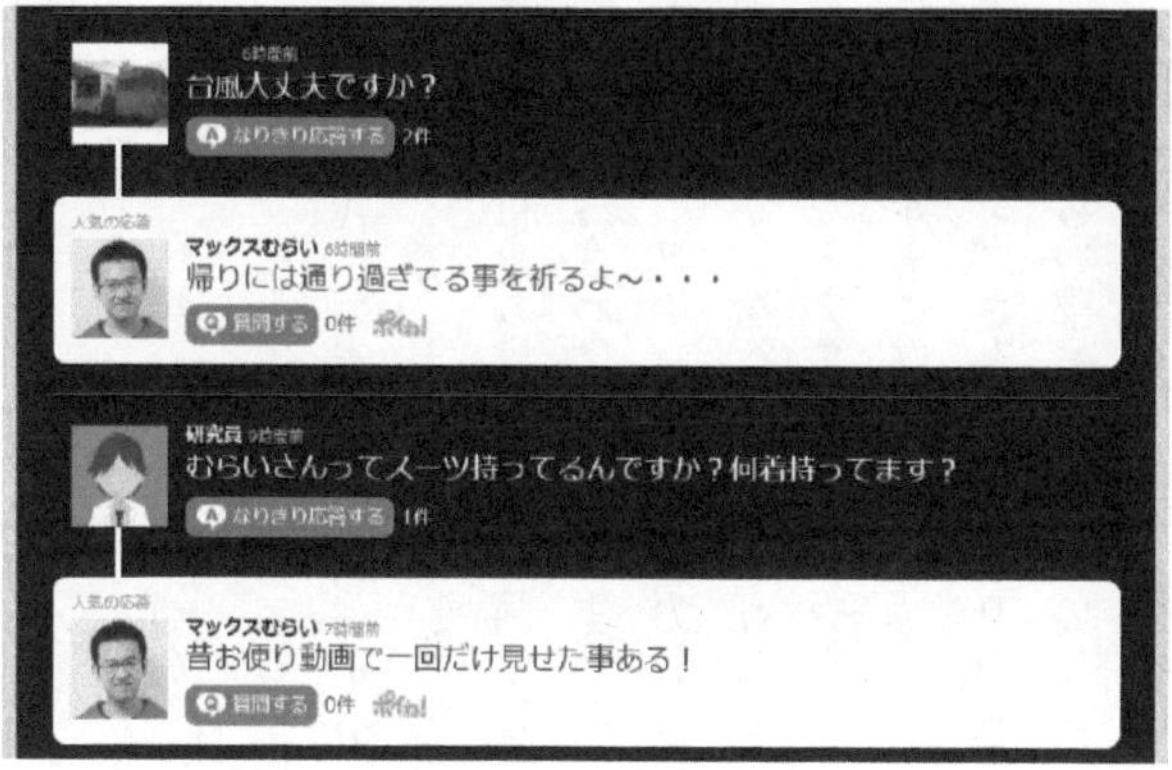

「なりきりＡＩ」プロジェクトが立ち上がりました。なお、「なりきりＡＩ」は、なりきり質問応答を用いて作成した対話ＡＩのことを言います。

マックスむらいＡＩ

なりきり質問応答で最初に対象とさせていただいたのは「マックスむらい」さんでした。有名なユーチューバーの方なので知っている人も多いと思います。アップバンク（AppBank）という会社の創業者で、スマホのゲームである、パズル＆ドラゴンズの実況動画などで有名です。２０１３年にチャンネルを開設。ヒカキンさんと並んでユーチューバーの出始めのころから活躍しています。現在のチャンネル登録者数は１５０万人ほどです。実況以外にも旅動画やドッキリ動画などで人気の高いユーチューバーです。

マックスむらいさんを取り上げた理由は、ニコニコチャンネルにチャンネルを持っており（マックスむらい部といいます）、そのチャンネルを通じて多くのファンにアクセス可能だったから。そして、マックスむらいさんもAI活用に前向きだったからです。

なりきりAIの案件に関わって分かってきたのですが、IP（キャラクタなどの知的財産のこと）ホルダーの協力が必要不可欠です。今回はマックスむらいさんを対象としたデータ収集を行うわけですが、勝手にマックスむらいさんのサイトを立ち上げて、なりきり質問応答を行うわけには行きません。IPホルダーの許可が必要です。また、なりきり質問応答では、ファンの方に協力してもらう必要がありますが、ファンの方にアナウンスや協力の呼びかけを行ってもらうことも重要です。マックスむらいさんがやりたくないと思っているものをファンの方がやることはありません。そういうわけで、IP元が前向きだったことは非常に重要でした。

早速ドワンゴさんとなりきり質問応答のウェブサイトを構築し、ニコニコチャンネルでマックスむらい部に課金しているユーザであれば誰でも質問・応答を楽しめるようにしました。これが、2017年4月のことです。課金ユーザを対象にしたのは、本当のファンのみを対象とするため。月額数百円を支払っているユーザであれば、Ｔａｙのようなことにならないと考えられます。もちろん、お金を払ってもいやがらせしたいという人もいないことはないかもしれませんが少数でしょう。実際、悪意のある書き込みはほとんど見られませんでした。

サイトのオープンに際してニコニコ生放送を行いました。私も出演して、マックスむらいさんやドワンゴの番組ディレクターである中條Ｄさんとともに、視聴者に向けてなりきり質問応答のコンセプトやサイトの使い方を説明し、サイトを開放。そして、視聴者の方の書き込みが続々と集まり始めました。

マックスむらいさん本人にも質問応答に参加していただき、自身でも答えを書いていただいたり、いい回答には「ポイね」を押していただきました。「ポイね」とは「イイね」に着想を得たものです。回答がマックスむらいさんっぽいと思ったら押すというものです。

ちなみに、ユーザの質問に対しマックスむらいさん本人が回答するとその回答には「本人降臨」スタンプが押されます。また、マックスむらいさんが「ポイね」をした回答には「本人認定」スタンプが押されます。このような仕組みは私の当初のアイデアにはなかったのですが、ドワンゴさんと相談する中で生まれたものです。自分の書いた質問に「本人降臨」がなされたり、回答に「本人認定」がなされると、ファンのモチベーションも高まります。

オープン初日の投稿だけで2000くらいの質問応答ペア（質問と応答を対にしたデータのこと）が集まりました。これは期待以上でした。2〜3か月後にはこのペアの数が13000程度までに膨れ上がりました。どの発話ペアもマックスむらいさんの個性であふれており、ファンの方がマックスむらいさんならどう答えるだろうかということを真剣に考えた結果でした。集まった事例をいくつか挙げてみます。

Q：今日のむらクラ生放送むらいさんの姿を見かけないんですが…？

A：テキーラが、、テキーラが、、すみません。。。（ポイね：0）

Q：はやく麻雀《マージャン》やろうよやりたい！

A：生放送辞めて麻雀ツモツモやろう！（ポイね：2）

Q：ゲーム祭りって社員さんの負担すごくないですか？

Ａ：みんな頑張ってるから放送見て！（ポイね：５）

マックスむらいさんをご存じの方であれば、それっぽいと思うのではないでしょうか。こういったペアが１３０００ほど集まったのです。ここからは私の仕事です。このデータを使って、マックスむらいさんのように質問に答えるＡＩ「マックスむらいＡＩ」を作り始めました。

なりきりＡＩのアルゴリズム

マックスむらいさんのデータを手にしていろいろな方法を試し始めました。最初に試みたのは生成ベースの方法です。しかし、これはあまりうまく行きませんでした。機械翻訳など、入力と出力のペアで文章の生成を学習する場合、数百万ペアは必要と言われます。１３０００ペアでは全然足りません。このころは事前学習済みのニューラルネットワークであるＢＥＲＴ以前ということもあり、事前学習の考えもありませんでした。そこで、抽出ベースの方法に切り替えました。なりきりＡＩは、具体的には以下のステップで回答します。

まず、質問が与えられると、その質問に含まれるキーワードを使って、質問応答ペアのデータを検索します。たとえば、似たような単語を含む質問応答ペアの上位20件を取得します。

次に、入力質問と質問応答ペアのそれぞれを見比べて、質問応答ペアを点数付けします。点数付けは、主に（1）質問同士がどのくらい似ているか、（2）入力質問と質問応答ペアの回答がどのくらい関連しているかという観点で行います。

（1）について言えば、入力質問と質問応答ペアの質問タイプがどちらも同じであれば高い点数を与えます。たとえば、入力質問が日付を聞いているのであれば、日付を聞いている質問に高い点数を与えます。また、どちらも同じ話題についてであれば、高い点数を与えます。

（2）のためには、入力質問と回答との関連度を計算する必要があります。これには生成ベースの方法を用います。「生成ベースの方法は諦めたのでは？」と思った方もいるのではないでしょうか。たしかに、生成ベースの方法で直接質問から回答を生成することは諦めました。しかし、生成ベースには他の使い方もあります。

それは、所定の回答に対してその生成確率を計算するという使い方。生成ベースの方法は、入力に対して出現確率が最も高い単語を一つずつ選んで生成しますが、このことから分かるとおり、単語の出現確率の情報を持っています。この情報を使うことで、もし生成ベースの方法が所定の回答を生成したのであれば、どのくらいその発話が起こりえるかという確率を計算することができるのです。この確率は、回答の妥当性を表す関連度とみなすことができます。

最後に、(1)と(2)から得られた点数を足し合わせることで、最終的な質問応答ペアの点数とします。最も高い点数の質問応答ペアの回答をシステムの出力とします。なお、ポイねについて説明しましたが、ポイねが多いデータを優先するような仕組みも入れてあります。

ここまで、なりきりＡＩが回答するステップについて説明しました。簡単にまとめると、収集した質問応答ペアから似た質問を見つけてきて、入力質問と回答の関連度が高いものを出力する手法です。比較的シンプルですが、色々と試した中ではこの方法が一番高性能でした。特に、抽出ベースの回答は生成ベースと比べて回答が長く、よい回答が選べた時にはかなり本人らしい回答になります。

なりきりＡＩの評価を行いました。未知の質問に対して、どのくらいマックスむらいＡ

Iがそれらしく回答できるかをマックスむらいさんのファンの方に評価してもらったものです。その結果、出力の自然さは5段階中、平均で3・39点、出力のキャラクタらしさは3・20点。自然さとは、マックスむらいさんの反応であるかどうかは置いておいて、人間同士で行われるやり取りとして特に問題ないかという観点での評価です。キャラクタらしさは、マックスむらいさんの反応としてよいかどうかという観点での評価です。AIが回答した質問と同じものについて、人間がマックスむらいさんになりきって行った回答を、別の人間が評価した場合の点数はそれぞれ3・91点、3・81点だったので、まだまだ人間には及びませんが、AIの点数は5段階中の真ん中の3点を超えており、人間とも約0・5点差で、かなりの高性能と言えます。この結果は、対話システムのトップ会議であるSIGDIAL（シグダイアル）でも発表することができました。

人間が回答した場合でも4点以下の評価になってしまうことを意外に思われた方もいるかもしれません。これは主観のブレに加え、主にマックスむらいさんという人物の捉え方の違いに起因します。「こう答えるだろう」という認識は人によってずれがあるということです。

マックスむらいvs.マックスむらいＡＩ

マックスむらいさんのデータを用いて構築したなりきりＡＩ「マックスむらいＡＩ」をニコニコ生放送（ニコ生）でお披露目したのは２０１８年2月のことです。

それなりにテストはしていたものの、うまく動かないかもしれず、正直気が気ではありませんでした。番組が始まり、マックスむらいさんや中條Ｄさんが質問を投げかけてきて、それを私は画面に入れて回答を披露する形で番組は進行しました。私の心配をよそに、システムはこれまでになくよく動きました。

番組中、ニコニコのコメントから拾ったものを含め、20程度の質問を受け付けたでしょうか。ほぼすべてに適切な回答をしたのです。たとえば、「お金ください」に対して「働かざるもの、だぞ！」、「年収いくら？」に対して「ご想像にお任せします」、「ご飯にする？　お風呂にする？　それとも？」に対して「マックスむらい？」など、それっぽかったり面白かったりで、大好評でした。最後に、「今日はありがとうございます！　さようなら！」と入れると「ありがとうございます！」と返ってきて番組を終えました。一時間くらいの生放送でしたが、異常なまでにうまく動いて自分でもびっくりしたことを覚えています。

このレベルであれば、応答だけを見て本人が答えたのかＡＩが答えたのか分からないかもしれないということでチューリングテストを実施することになりました。以前説明しましたが、チューリングテストとは、対話相手が人間かコンピュータかが分からない状態で対話をして、どちらが人間でどちらがコンピュータかを当てるテストのこと。どちらか分からなければ、それは人間のような知的な対話ができたことになります。

質問に対して、マックスむらいさん本人の回答とマックスむらいＡＩの回答を第三者にどっちが本人のものかを判定してもらうユーチューブの企画でした。回答者は、中條Ｄさんとみっくすさん。みっくすさんはアップバンクの演者さん（当時）です。どちらもマックスむらいさんをよく知っている方なのでかなり強敵です。全5問で対決をしたのですが、結果は最終問題までもつれ込む接戦になりました。どちらが勝ったかはぜひユーチューブ(https://www.youtube.com/watch?v=PRoo7V7rl-g) でご確認ください。

このチューリングテスト企画を、ニコニコ超会議でも実施することになりました。２０１８年5月のことです。回答役はハラミンさんとちゃんきたさんでした。どちらもアップバンクの演者さん（当時）です。質問は事前に用意されていたものに加え、会場から募りました。その時の質問応答は全部で六つあったのですが、それを全部載せておきます。Ａ、

Bのどちらかがマックスむらいさん本人でどちらかがマックスむらいAIの出力です。どちらがどちらか分かるでしょうか？

Q1：NTTって何の略？
A：え!?　何かの略なの？
B：日本電話テクノロジーだよ！
Q2：歌舞伎は見ましたか？
A：見てないよ
B：歌舞伎は詳しくないけど歌舞伎町は詳しいよ
Q3：好きなパソコンは何ですか？
A：マック！
B：特になし
Q4：無人島に何か一つ持っていくとしたら？
A：船
B：ハラミン

Q5：マックスむらい部のことをどう思っていますか？
A：頑張ってるんじゃない？
B：生放送楽しいよね！
Q6：緊張してますか？
A：ぜんぜんきんちょうしてないよ
B：人と書いて飲む

マックスむらいさん本人の答えは、B、A、A、A、B、Aです。Q2については、マックスむらいさんがAIの出力を写し損ねて、「歌舞伎は詳しくないけど歌舞伎は詳しいよ」と書いてしまったため（本人とAIの出力の見た目を合わせるために、本人にマックスむらいAIの答えをフリップに書き写してもらっていました）ノーカンとなりましたので、それ以外の5問での勝負となりましたが、どちらが勝ったと思いますか？

結論から言うと、この勝負は惨敗でした。すべての質問について、どちらが本人かを当てられてしまったのです。何が起こったのでしょうか？

Q1についてですが、ニコニコ超会議の人の大勢いるような場で「え？　何かの略なの？」なんて言わないとハラミンさん、ちゃんきたさんは言うのです。「何かしら面白いことを言おうとして滑っている感じがまさにマックスむらいさんで、よってBしかない」とのこと。Q3は、アップバンクはiPhoneを中心とした会社ですのでマックと出力すべきでしたが、そのような知識が足りませんでした。

Q4は、「ハラミン現象」と呼ばれる現象が知られていたことが問題でした。ハラミンさんは人気の演者さんで、なりきり質問応答での書き込みにも何に対しても「ハラミン」と回答する人がいるほどで、頻度の高い単語でした。よって、それを参考にしているAIの回答は「ハラミン」が出やすいだろうと回答者は考え、当てられてしまいました。AIの思考を読まれてしまったというわけです。Q5は一番回答者を悩ませた問題でしたが、「ニコニコ超会議の場ではいい人を演じることが多いので、絶対ポジティブなことを言うはずだ」ということで、AよりもBが正解ではないかと推測され、当てられてしまいました。Q6は、「そもそもマックスむらいさんは緊張しないし、『人と書いて飲む』なんて言わないので」と簡単に当てられてしまいました。また、「緊張」がひらがなであることもそれっぽい理由の一つとされました。

これまでのニコニコ生放送やユーチューブと違い、ニコニコ超会議というライブの場で人が何を言いそうかを再現するにはＡＩはまだそれっぽくないということでしょう。どの応答もそれらしくはありますが、まだ人間と比べると今一歩のようです。また、会場から質問を募ったことも惨敗の要因の一つだったと思います。マックスむらいさんのファンでない人もニコニコ超会議の会場にいらっしゃいます。マックスむらいＡＩはファンの質問応答をベースに作っていますので、それ以外の方の一般的な質問に答えきれませんでした。逆に、ニコニコ生放送でことごとくうまく質問に答えることができたのは、質問が想定の範囲内だったからだと言えます。

ニコニコ超会議のチューリングテスト企画を通して、人間のように答えるとはどういうことかを私はより深く考えるようになりました。この時なぜうまく行かなかったんだろうと考えていくことで、なりきりＡＩ、そして雑談ＡＩの精度を高めていけると考えています。

『俺妹』あやせＡＩ

どんな手法でもそうですが、検証は複数のデータで行うべきです。あるデータでうまく行ったとしても他のデータではうまく行かないといったことはよくあります。どんなデータであっても望むような性能が確認できて、ようやくその手法が良いということが言えます。なりきり質問応答についても同様です。他のキャラクタでも検証する必要がありました。

そこで『俺の妹がこんなに可愛いわけがない』（通称「俺妹《おれいも》」）の新垣《あらがき》あやせというキャラクタを用いてなりきり質問応答を行うことに。俺妹は伏見《ふしみ》つかささん著作のライトノベルです。２００８年に第１巻が刊行され、15巻（執筆時）まで刊行されています。累計発行部数は５００万部を超えているそうです。２０１０年にはアニメにもなりました。主人公の高坂京介《こうさかきょうすけ》とその妹である高坂桐乃《こうさかきりの》を中心に展開されるホームコメディですが、新垣あやせはその中で桐乃の友達として登場します。「ツンデレ」ならぬ「ヤンデレ」な性格をしており、好意を持った相手に対してデレデレしたかと思えば、暴言を吐いたりします。登場頻度はそれほど高くないものの、個性的なキャラクタで高い人気を誇ります。

このキャラクタを選んだわけはニコニコチャンネルに「伏見つかさチャンネル」があったこと、および、俺妹のプロデューサーの三木一馬《みきかずま》さんが「新垣あやせがよいのではないか」と提案してくださったことによります。

三木さんに「なぜあやせにしたんですか？」と尋ねたところ、「メインキャラではないこと」「従順ではないこと」を挙げてくださいました。なりきり質問応答はいわゆる二次創作の要素を含みます。このキャラクタだったら何と言うかを想像して応答を書くわけです。そうすると、想像の余地が大きい方が楽しいということになります。メインキャラである桐乃は登場回数もセリフも多く想像の余地がそれほど大きくなく、新垣あやせの方がサブキャラだからこそ、想像の余地があり、二次創作も楽しいだろうと考えたわけです。また、コマンドの通りに動くようなＡＩよりも、暴言を吐くなど反発してくるようなＡＩの方が、何かしら自分なりの考えを持っているのではないかと思わせ人間味を感じるのではないかとのこと。私も確かにそうだと思います。このような経緯で新垣あやせのなりきり質問応答とそれに基づく「あやせＡＩ」の構築が始まりました。

新垣あやせのデータはマックスむらいさんよりも高速に集まりました。20日程度で１万ペアを達成し、３か月以内に１５０００ペアを達成。マックスむらいさんのデータとの違いとしては、応答が非常に長いことが挙げられます。マックスむらいさんの場合は、一応答あたり大体７単語なのですが、新垣あやせの場合は、15単語。実に２倍以上の文長です。ファンの熱量を感じました。

あやせデータを用いて構築した「あやせＡＩ」について、ファンの方による評価実験を

なりきり質問応答　俺の嫁がこんなに可愛いわけがない

したところ、応答の自然さは5段階中3・23点、キャラクタらしさは3・24点でした。人間が応答を作成した場合のその自然さは3・61点、キャラクタらしさは3・74点でしたので、マックスむらいさんの時と同様のスコアであることも確認できました。二つのまったく異なるキャラクタで有効性が確認できましたので、なりきりＡＩの応答手法の有効性がある程度確認できたと言えます。

あやせＡＩはニコニコ生放送でお披露目をして、２０１８年のニコニコ超会議でも展示を二つ行いました。一つは等身大のあやせと会話ができるというもので、もう一つはスマホであやせと会話ができるというものでした。

前者は、モーション生成技術を使ったデモで、テキストで質問を入力すると、セリフの吹き出しとともに、新垣あやせのCGキャラクタがそのセリフにあった身振り手振りをするものでした。

当時、私のいた研究グループでは、モーション生成技術に取り組んでいました。発話に対して、それに合った身振り手振り情報を生成する技術です。なりきりAIとモーション生成技術を組み合わせ、等身大の新垣あやせが動きながら応答するようにしました。

後者は、LINEのようなインタフェースであやせとのチャットが楽しめるものでした。携帯の基地局に基づき、場所を限定した公開をすることで、ニコニコ超会議の会場である幕張《まくはり》メッセの周辺のみでチャットができるようにしました。私も会場でチャットをしていましたが、帰りに電車で海浜《かいひん》幕張から遠ざかっていくと、ある時点でチャットがつながらなくなり切なくなったことを思い出します。

どちらも新垣あやせと触れ合ったと感じることができるデモができたのではないかと思っています。

Vチューバーのなりきり AI

二つのキャラクタでの有効性が確かめられたので、他のキャラクタでも展開を進めています。

Vチューバー（VTuber）をご存知でしょうか？　バーチャルユーチューバー（Virtual YouTuber）のことです。人間がそのまま画面に出演するのではなく、モーションキャプチャなどを用い、CGキャラクタを人間が操作するタイプのユーチューバーです。キズナアイさんが有名です。

私たちは、Vチューバーのヒメヒナさんを対象になりきり質問応答を行いました。ヒメヒナさんは、田中ヒメ、鈴木ヒナという二人組のVチューバーで、にぎやかな掛け合いが人気です。

Vチューバーでなりきり AI を行うことには大きな意味があると思っていました。なぜなら、Vチューバーでは人間が特定のキャラクタになりきって操作・発言をします。対話の主体である人間とCGキャラクタが分離されているため、対話の主体を人間からなりきり AI にバトンタッチすることも容易です。まったく同じ見た目で、対話を行う中身だけを変えることが可能であるということです。見た目や身振りも含めてのチューリングテストのことをトータルチューリングテストと言いますが、Vチューバーを使ってのチューリングテストは有望だと思っています。一定時間操作や発言をAIに切り替えても視聴者が気づかなければ合格というテストです。「Vチューバーチューリングテスト」と呼んで流行らせたいと思っています。

あやせAIを展示した翌年のニコニコ超会議では、ヒメヒナAIの展示を行いました。等身大のヒメとヒナと会話ができるデモンストレーションです。超会議の会場はライブもあり騒音が大きかったため、入力は音声認識を諦めてタイプ入力にしたり、音声合成も現状ではまだ人間レベルというわけではありませんので、さすがにVチューバーチューリングテストに合格する感じではありませんでしたが、それでも対話が円滑に進んだときには可能性を感じました。ヒメヒナAIについては、引き続き性能を高めていきたいと思っています。

現状進行中のキャラクタに『シュタインズ・ゲート ゼロ』のアマデウス紅莉栖《クリス》がありょます。『シュタインズ・ゲート ゼロ』はゲーム作品ですが、その後アニメ化され大変人気です。「記憶を消してもう一度みたいアニメ」と呼ばれているくらいです。ネタバレはしませんので、もしまだ見ていない方がいましたら是非見てみてください。

なりきりAI田中ヒメ

なりきりAI鈴木ヒナ

この作品に登場する、アマデウス紅莉栖というキャラクタのなりきりAIを作っています。キャラクタの知名度が高いこともあり、一か月もしないうちに4500ペアほどの質問応答が集まりました。これまでにないハイペース。特定のキャラクタの質問と応答が4500ペアもあるのは、すばらしい状況です。思い出してみてください。ペルソナチャットでは、一つの個性についてプロフィールテキストが5文しかありませんでした。この多くのデータを用いることで、これまでよりも質の高いなりきりAIの実現を進めています。プロトタイプはNTTのイベントなどで展示したりしています。

現在なりきりAIのサービス展開を進めているところです。ファンとともにキャラクタが成長し、自分の好きなキャラクタと楽しく雑談ができるような世界を実現したいと思っています。

『シュタインズ・ゲート ゼロ』の原作者の志倉《しくら》千代丸《ちよまる》さんとお会いした際、現在のAIは対話が続かないとおっしゃっていました。その時に、アマデウス紅莉栖からもっと自発的に話しかけるようにしてほしいという要望をいただきました。確かに現状のなりきりAIは質問に答えることしかできません。きわめて受動的な存在です。何を話したいかも持っていないシステムはそれっぽく答えられてもおもちゃに過ぎないのではないか、そう言

なりきりAI　アマデウス紅莉栖

われたような気がします。これはシステムの意図や欲求に関する本質的で重要な問いです。

第四章　対話破綻という困難

＊

本章では、雑談ＡＩにおける現状の課題について述べます。本書の冒頭で紹介したマツコロイドの対話から始まり、いったい何が対話破綻《はたん》を引き起こしているのかを詳しく追っていきます。雑談ＡＩによるエラーの類型についても紹介します。課題を克服するために私が行っている施策について紹介します。具体的には、対話破綻検出チャレンジと対話システムライブコンペティションについて具体的に述べます。コンペティションは現状何ができて、何ができていないのかを知るための格好の場所です。対話例を挙げつつ、具体的なシステムも紹介しますので、雑談ＡＩの現状を理解いただきたいと思います。本章の最後では、雑談の改善を阻む問題として、評価、マルチモーダル情報、状況理解、意図の問題を取り上げます。

マツコロイドとの対話

本書の冒頭で紹介したマツコロイドはマツコ・デラックスさんを模したアンドロイド

（人型ロボット）です。リアルな人型のアンドロイド研究で有名な大阪大学の石黒浩先生が監修したものです。マツコロイドは、「マツコとマツコ」という日本テレビの番組で、マツコ・デラックスさんと掛け合いをしながら番組を進行していました。

番組を見ていた人の中には、マツコロイドが完全自律で動いていると思っていた人もいるかもしれませんが、現状の技術は番組の進行ができるほどにはなっていません。マツコロイドはもともと遠隔操作のロボットです。後ろに人がいてモーションを操作していました。会話はモノマネ芸人のホリさんが担当です。

そんな中、縁があって、マツコロイドの対話部分を自動化できないかとの話を石黒先生からいただきました。面白そうなのでぜひやってみようということに。NTTの雑談AIの構成を用い、話し方やキャラクタデータベースをマツコ・デラックスさんのものに設定。テレビ局の方に、「テレビクオリティ」に満たないという理由で何度もダメ出しをされながら、チューニングを繰り返し、半年以上かけてやっとOKが出ました。「マツコとマツコ」のほぼ最終回のころです。

スタジオに入って、マツコロイド本体をセットアップして、雑談AIとつなぎました。具体的には、マイクの音声がPCに入るようにし、PCから出力される合成音声がスタジオ内の大きなスピーカーから出るように設定しました。しばらくして、番組収録が始まりました。マツコさんが登場。雑談AIの搭載されたマツコロイドと話すコーナーになりました。会場にはお客さんが何十人も入っていて、ぶっつけ本番ということもあり、かなり緊張したことを覚えています。その時のマツコさんとマツコロイドの対話は本書の冒頭に載せた通りです。

マツコ：こんばんは
マツコロイド：どうもですぅ
マツコ：そればっかりね
マツコロイド：早速だけど、今晩は何を食べたのかしら？
マツコ：お弁当
マツコロイド：お弁当は旦那《だんな》が作るのです
マツコ：うらやましいわ
マツコロイド：夫婦は似てくるって本当なの？
マツコ：本当だと思う

マツコロイド：同じ趣味を持つと老後も夫婦円満でいられるだろうね
マツコ：いい加減夫婦の話題から離れない？
マツコロイド：記念日は忘れずお祝いしますぅ
マツコ：あなたしつこいわよね
マツコロイド：夫婦仲はいいのかしら？
マツコ：独身です
マツコロイド：11月のいい夫婦の日に家族で何かお祝い事をするのかしら？
マツコ：だから独身です
マツコロイド：独身は税金が高いです

マツコロイドが夫婦の話題を執拗に行い、最後に「独身は税金が高い」と言ってオチがつき、バラエティとしては面白いやり取りになっていると思います。しかし、このやり取りはかなり変なやり取りです。少なくとも人間同士の対話ではありえません。

マツコロイドは、マツコさんが話題を変えようとしているにもかかわらず話を続けてしまいました。当時のシステムは、対話の話題を理解し、それについて何かしら対話を続ける、という仕組みになっていたためです。このような状況だと、普通の人であれば「なんだこれ？」となってなかなか話せなくなってしまうでしょう。マッコさんのすごいところは、そのような発言でもうまく拾って会話を面白くしてしまうところだと思います。

私はこの対話を真横で見て、ショックを受けました。雑談ＡＩはまだまだだと感じました。収録が終わった後、かなり落ち込みました。現状の雑談ＡＩは、しばしば変な発言を行い、人間が対話を続けることが困難な状況を生み出してしまいます。このような状況を「対話破綻」と呼びます。対話破綻に着目することで、雑談ＡＩの現在の課題を浮き彫りにすることができます。

対話破綻という現象

対話破綻は英語では Dialogue breakdown と言います。対話が壊れてしまうということです。対話をそれ以上続けることが困難な状況を指します。このような対話破綻の現象はどのくらい起きているのでしょうか？ そして、それらはどういうときに起きているのでしょうか？

この分析のため、対話破綻ラベルのアノテーション（ラベルを付与する作業）を実施しました。手続きとしては、まず人間と雑談ＡＩの対話データを収集。そして、システムの発話のそれぞれについて、そのあとに対話が続けやすいかどうかのラベルを付与します。ラベルは3種類あり、○：対話を問題なく継続することができる、△：対話をスムーズに継続することが困難、×：対話を継続することが難しい、というもの。収集した対話データにこれらのラベルを付与することで、対話破綻につながるシステムの発話を特定できます。

対話破綻は人によって感じ方が違うと考えられます。ちょっとでも変な発言であれば、もう話を続けたくないと思う人や、少し変でももう少し話してみようと思う人などがいるからです。そのために、対話破綻ラベルのアノテーションは大勢の人にタグ付けを依頼しました。具体的には、一つの発話に総勢24人に○△×のラベルを付けてもらいました。こうすることで、この発話はどのくらいの人が対話破綻につながると思うかを定量化することができます。

ドコモの雑談対話ＡＰＩを用いて構築したシステムと人間同士の対話を１００対話収集し、その中のシステム発話について24人がラベル付けしました。そうしたところ、○が6割弱、△が2割強、×が2割弱という割合でした。

ではどういう発話に△や×が多く付けられていたのでしょうか。少しデータを見てみましょう。以下のUはユーザ発話で、Sはシステム発話です。

U：ところで、今は冬ですよね？

S：イケメンをみるのです

（○：0、△：1、×：23）

この発話は24人中ほぼ全員が×を付けました。つまり、対話を継続することが困難と感じたものです。正直どうしてこの発話をシステムが言ったのかは分かりません。冬との関連も全く分かりませんし、質問にも答えていません。このような時、ユーザはかなり対話を継続しづらいと感じるようです。

S：何県出身なんですか？

U：東京都ですよ。あなたは？

S：人口が多いです。

（○：0、△：13、×：11）

こちらのやり取りは、全員が△か×をタグ付けしているものの、先ほどよりも△の割合が増えています。半分以上の人が対話を続けられないほどではないと感じています。先ほどの例と何が違うのでしょうか。ポイントは、何らかの関係性が見られる点だと思われます。確かにシステムは質問には答えていませんが、東京都について「人口が多い」と回答していることで、破綻が回避されています。

U：母さんの料理を食べました。
S：ところで、１９９１年以降に進んだ氷河減少の原因の約7割は、二酸化炭素の排出など人間活動による地球温暖化が原因だとする解析結果をオーストリアとカナダの研究チームがまとめ、アメリカの科学誌サイエンスに発表したそうです。
（○：8、△：13、×：3）

こちらの例ではシステムが急にニュースのようなものを読み上げ始めました。明らかに変な挙動ですが、思ったよりも×が少ないことが分かります。×は3人、△は13人で、○も8人います。ポイントは「ところで」でしょう。全然関係のないことを話し始めたとしても、話題を変えることを明示していることから、システムの意図が理解でき、対話破綻とみなされなくなったのだと考えられます。

雑談AIのエラー類型

個別の事例を見ているだけでは、対話破綻の全体像が明らかになりません。そこで、対話破綻につながるシステム発話のエラー類型（分類体系）を作ることにしました。対話破綻につながるシステムの発話にはどのようなパターンがあるのかを明らかにするためです。まず、人間とシステムの対話データを収集。先ほどはドコモのシステムのみを対象としていましたが、別の二つのシステムの対話データも収集し、併せて三つのシステムのデータに対して複数名で対話破綻ラベルの付与を行いました。そして、半分以上の作業者が△もしくは×を付与した発話を抽出し、それらを研究者で観察・分類することで、エラーのタイプを特定していきました。その結果、対話破綻につながるエラーは全部で17種類あることが分かりました。それらを簡単に説明しましょう。

エラーは大きく四つに分けられます。発話レベルのエラー、応答レベルのエラー、文脈レベルのエラー、そして社会レベルのエラーです。

発話レベルのエラーとは、発話単体で対話破綻を引き起こすタイプです。応答レベルのエラーとは、発話単体では問題ないが、直前の発話への応答として考えると対話破綻となってしまうものです。文脈レベルのエラーとは、直前の発話への応答としては問題ないが、対話を通してみたときに何かがおかしく対話破綻につながってしまうタイプのエラーです。社会レベルのエラーは、破綻の原因が対話の中身と言うよりは社会との関係にあるようなエラーのタイプです。

各レベルに含まれるエラーについてもう少し細かく話します。

発話レベルのエラーは、解釈不能、文法エラー、用法エラー、誤情報の四つがあります。発話単体で意味が分からなかったり、文法が誤っていたり、単語の組み合わせが変で文として意味をなさなかったり、明らかに誤った情報を含んでいるために文として理解できないといったものです。

応答レベルのエラーには、質問無視、依頼無視、提案無視、挨拶《あいさつ》無視、期待無視の五つがあります。隣接ペアの考え方によれば、何らかの働きかけを行うような発言に対しては、それに呼応する応答がなされるべきでしょう。質問されたら答えることが一般的ですし、依頼されたら少なくとも無視はせずに受諾するか、断るかをするべきです。

応答レベルでは、質問、依頼、提案、挨拶という働きかけを行う発言に対して、隣接ペアを形成できない場合をそれぞれエラーのタイプとしています。期待無視とは、働きかけには最低限答えているが、不十分な場合のエラーのこと。具体的には、「趣味はありますか？」と聞かれて「あります」とだけ答えるような場合です。もちろん、これでも質問には答えているわけですが、話者が求める答えではないでしょう。このような答える形式は合っているのだが、中身が相手の期待に応えていないものを期待無視のエラーと呼びます。

文脈レベルのエラーには、話題遷移エラー、情報不足、発話意図不明確、自己矛盾、相手の発話との矛盾、繰り返しの六つがあります。話題遷移エラーとは、理由なく突然違う話題に飛んでしまうようなエラーです。お菓子の話をしていたのに突然サッカーの話をするとか、美容の話をしていたのに食事の話をするといったことです。情報不足は、目的語などが欠けており、何を言っているのかが文脈に紐《ひも》づけて理解できないというエラーです。たとえば、ユーザの「それはちょっと高すぎるでしょ？」に対して「温度差がひどいですね」と応答するような発話です。何の温度差のことか分からないために理解ができません。

発話意図不明確とは、話題も何を言っているかも分かるのですが、どうしてそれを言ったのかが分からないというエラーです。ユーザの「女性には嬉しいですね」に対して「女性は化粧をします」というような発話です。確かに女性はお化粧をしますが、「それがどうしたの？」となってしまい対話を継続することが難しくなってしまいます。自己矛盾、相手の発話との矛盾はそのままです。自分の言ったことや他人から聞いたこととは真逆のことを言ってしまうようなエラーです。繰り返しは一見エラーではないと思うかもしれませんが、システムは何度も同じことを執拗に繰り返すことがあります。そういった場合、繰り返しのエラーとなります。

社会レベルのエラーには、社会性欠如と常識欠如の二つがあります。社会性欠如は相手や特定の集団・組織に対して失礼な言い回しをするようなエラーです。ヘイトスピーチもここに入ります。常識欠如は、常識と全く異なることを言ってしまうというエラーです。たとえば、「熱中症はいいですね」といった発話です。常識が違いすぎてこの後話しづらくなりますよね。

エラー類型を概観することで、現在のシステムがどのようなエラーを起こしているかがある程度理解できるようになりました。私たちはこのエラー類型を使って、いろいろなシステムの対話データをタグ付けし、システムの弱点を探したり、その改善手法を検討したりしています。

ちなみに、現状のシステムの高頻度なエラーは、発話意図不明確、質問無視、話題遷移エラーです。これらのエラーを回避できるようになれば、一定程度の対話破綻を削減できると考えられます。

対話破綻検出チャレンジ

対話破綻はできるだけ避けたいものです。エラー類型の作成と並列して、対話システムの対話破綻回避性能を改善するための施策として、私は共同研究者とともに、「対話破綻検出チャレンジ」というコンペティションを立ち上げました。

コンペティションを立ち上げるには、まず問題を設定します。多くの人が「それは重要だ！」と考えるような問題を設定する必要があります。そうしないと、誰も参加しないチャレンジになってしまいます。問題を設定したら、その問題に即したデータセットを作成します。たとえば、発話に対して対話行為を推定するような内容のコンペティションであれば、発話に対話行為タグを付与したデータを作成します。

データは学習セットと評価セットの二つを準備します。学習セットとは、手法を検討するためのデータです。コンペティションの参加者に配布します。評価セットは、参加者の提案手法を評価するためのデータのこと。こちらは「フォーマルラン」の際に配布します。フォーマルランとは、参加者の提案手法を評価する期間のことです。参加者に評価セットを配布し、それぞれの提案手法を適用してもらい、その出力結果を主催者に送付してもらいます。なお、評価セットのデータには正解は付与されていません。これを見せてしまうとズルができてしまうためです。最後に、主催者側は各参加者の出力と手元の正解を見比べて評価値を算出し、どの参加者の提案手法がよかったかをランキングして公表します。これが一連の流れになります。

対話破綻検出チャレンジの問題設定ですが、人間とシステムの対話履歴（ある時点までのユーザ発話とシステム発話）が与えられたとき、次のシステム発話が対話破綻を引き起こすかどうかを当てるというものにしました。もしシステムが対話破綻を高精度で当てることができるのであれば、ある発話候補があったとき、その発話は問題があるから他の発話候補に切り替えよう、といった判断をすることができ、対話破綻が回避できます。雑談AIがスムーズな対話を実現するための基礎技術として重要なものだと考えました。国内でも対話破綻に興味のある研究者が多く、それなりの参加者の参加も見込まれました。

初回のチャレンジでは学習セットとして、ドコモの雑談対話APIを用いて収集した対話に対話破綻ラベルを付与したデータを1200対話ほど配布。評価セットとしては、同じく雑談対話APIを用いて収集した対話データに対話破綻ラベルを付与したものを80対話分準備しました。評価セットの対話では、各システム発話は30人の作業者によって対話破綻ラベルが付与されています。

第一回対話破綻検出チャレンジの参加者は6チームでした。それほど多くはありませんでしたが、様々な手法が試されました。コンペティションでは評価尺度が重要です。最も直感的で単純な尺度は、過半数以上が対話破綻（具体的には×のラベル）と判断した発話をどの程度正確に当てられるか、ということになるでしょう。この尺度を「×のF値」と呼びコンペティションで用いました。F値は情報検索などで用いられる評価尺度で、漏れなく正確な判断ができたら100%になる尺度です。

第一回の対話破綻検出チャレンジの×のF値はどの程度だったかというと、一番よいシステムで47%程度でした。「まだ改善の余地がありそう」ということで第二回、第三回とチャレンジを継続していきました。すでにチャレンジで用いたデータは公開された回答付き過去問のようなもので、学習セットとしては使えますが評価セットには使えません。そのため、毎回新たに作り直していきました。クラウドソーシングを用いるにしても、データセットの作成には結構なお金がかかるので、人工知能学会から補助をいただいたり、企業のスポンサーを募るなどして進めていきました。

ドコモの雑談対話ＡＰＩのデータセットだけを用いていては、このシステムの対話破綻は検出できるけれど他のシステムの対話破綻は検出できないということになりかねません。そのため、他の雑談ＡＩの対話のデータも配布するデータに含めていきました。さらに、日本語のデータだけでやっていたのでは、英語の雑談ＡＩに適用できるか分かりませんので、ほかの言語のシステムであっても対応できる技術にしていくため、英語のデータセットも作成し、配布することに。対話破綻検出チャレンジは第三回から国際イベントとして実施しています。

第四回対話破綻検出チャレンジでは、×のＦ値が英語だと47％、日本語だと54％程度でした。日本語は初回から性能が向上してきていることが分かります。一方の人間が×と判断したデータを正解として、もう一方の人間の判断の精度を計算してみると70％強でした。これを人間の精度として、手法の上限値とみなすことが多いのですが、比べてみると性能改善の余地ありです。しかし、直近の第五回対話破綻検出チャレンジでは、最新のディープラーニングを用いた手法が躍進。英語でも日本語でも人間の判断のレベルに近い精度となりました。

対話破綻検出チャレンジの役割は一定程度終えたように感じます。しかし、対話破綻検出ができたからといって、いい代替の発話を生成できなくては、結局対話は破綻してしまいます。今後は、破綻をどうやって回避するのか、対話破綻をしてしまった場合に、どうやって対話を回復させるのかという問題が取り上げられていくことになると思います。

対話システムライブコンペティション

対話破綻検出チャレンジでは、対話破綻という現象に着目しましたが、他にも着目すべき雑談ＡＩの課題はあるはずです。雑談ＡＩにおいて何が課題かをさらに見極めていく必要があります。そのような目的で、私が共同研究者と２０１８年から開始したイベントが対話システムライブコンペティション（通称、ライブコンペ）です。

対話システムの醍醐味《だいごみ》は何といってもインタラクション。「入力に対してどういう応答を返してくるだろうか」というわくわく感があります。思いもつかない面白いことが返っ

対話システムライブコンペティション1の様子

対話者がシステムと対話

聴衆が対話を見て評価

てくると嬉《うれ》しいですし、対話破綻を引き起こすような微妙な発話だったら残念な気分になります。対話システムの面白さはインタラクションにあるにもかかわらず、これまでのコンペティションは固定的なデータセットに対して評価を行うものがほとんどでした。対話破綻検出チャレンジもそう。データセットに対する手法の精度は計算できるのですが、何が返ってくるかというわくわく感はありません。私は対話破綻検出チャレンジを行っているときに、もっとインタラクションが中心となるコンペティションがしたいと考えていました。

対話のわくわく感と雑談ＡＩにおける課題発見の両方を実現することを目的として考えたものがライブコンペです。ライブコンペでは、対話システムの動作を大勢で一緒に鑑賞して、そのシステムをみんなで評価します（写真右はプライバシー保護のためぼかしを入れました）。わくわくしながらシステムの一挙手一投足を全員で評価・鑑賞することで、対話システムの新たな問題に気付いたり、重要な問題を共有することができると考えられます。ライブコンペと名づけたのは、対話システムが対話している様子を、ロックスターがライブ演奏をしているかのように見立ててのこと。実際にはチャットボットがテキストで話者と会話する様子をみんなで眺めるイベントですので、ライブ演奏とはまったく異なり静かなものなのですが、システム開発の経験があったり対話システムに興味がある人にとっては、ライブコンサートのように見えると思います。少なくとも私にはそう見えます。

第一回ライブコンペは2018年の11月、対話システムシンポジウムの中の1セッションとして開催しました。対話システムシンポジウムは、人工知能学会 言語・音声理解と対話処理研究会が主催するイベントで、全国の対話システム研究者が一堂に集う場です。ライブコンペを実施するにはうってつけの場と言えます。

みんなで鑑賞・評価する雑談AIは、その時点で十分性能が高いシステムである必要があります。なぜなら、そうでないと現状の雑談AIの問題点の発見につながらないためです。そこで、ライブコンペの前に、予選を行いました。ライブコンペには、大学・企業を含むさまざまな組織から12のシステムがエントリされました。予選はクラウドソーシングで実施し、それぞれのシステムについて、最大30名の人間が「もう一度話したいか」という観点で5段階で評価しました。そして、平均点の高かった上位三つのシステムを予選通過としました。一位のシステムはNTTドコモのシステム、二位はNTTコミュニケーション科学基礎研究所（NTTCS研）のシステム、三位は東北大学のシステムでした。

NTTドコモのシステムはマリコザツダンボット（MarikoZatsudanBot）という名前で、広い話題について関西弁で雑談をするものでした。NTTCS研のシステムはトリップフリーク（tripfreak）という名前で、旅行についての雑談を行います。東北大学のシステムはズンコボット（Zunkobot）と言います。「東北ずん子」というキャラクタ（東北地方の組織であれば無償で利用可能）の人格を持ち、ダジャレや雑学を織り交ぜた雑談を展開します。

これら三つのシステムはライブコンペで１００名以上の対話システムシンポジウム参加者の前で披露・評価されました。システムと話す話者は、システム開発者と利害関係のない対話システム研究者としました。システムの話す順序はくじ引きで決定。システムと話者は2回ずつ話しました。参加者はその対話を見て評価をし、そのシステムと「もう一度話したいか」という基準で5段階のアンケートで評価しました。実際には、会場の参加者はシステムと話しているわけではないのですが、ここではそのシステムと話したと思って評価してもらいました。

ライブコンペではテキストチャットが行われる様子を100人超の参加者が見守る状況になるため、イベントは基本的には静かに進行しましたが、面白い発話には笑いが起こり、微妙な発話に対しては「あーダメだったか」と残念がるような雰囲気で、この時点でイベントの目的の一つである「わくわく感」は達成できたと思います。

ライブコンペの結果ですが、一位はトリップフリーク、二位はマリコザツダンボットで、三位はズンコボットでした。トリップフリークは会話を旅行分野に絞ったことにより、対話が破綻しにくかったことが勝因と考えられます。一方、他の二つのシステムは話題を限定していなかったため、たまに変なことを言ってしまったり、受け答えがかみ合わないことがあり、その分少し低い評価となってしまいました。トリップフリークの対話の抜粋を以下に載せておきましょう。

S：こんにちは！　お名前を伺ってもいいですか？

U：伝《でん》といいます

S：伝さんとおっしゃるんですね。私はリコっていいます。よろしくお願いします。伝さんは何県にお住まいなんですか？
U：いまは千葉県です
S：ふむふむ。千葉県ですか。千葉いいですね。行ってみたいです。東京ディズニーランドとか有名ですよね？
U：あんまり千葉県と認識されてないですけどね
S：あ、そうなんですか。前に行った人がおすすめって言ってたので、実際どうなのかなあと。千葉県で伝さんおすすめの観光地ってどこかあります？
U：千葉県、うーん、ないですね
S：まあそんなもんですよね。千葉県だと、清水《しみず》公園とかも有名ですよね？
U：清水公園知らないですね。どこですか
S：ふむふむ。清水公園って行ったことあります？
U：ないです
S：あ、そうなんですか。前に行った人がおすすめって言ってたので、実際どうなのかなあと。ところで、あ、こないだ三重県の番組見たんですけど、伊勢《いせ》神宮とかおすすめですよ。行かれたことあります？

イベントのもう一つの目的である「対話システムにおける課題発見」についてですが、実は、ライブコンペの前後に「現在の対話システムの問題は何だと思うか」というアンケートを参加者に実施してもらっています。具体的には、研究者が列挙した対話システムの課題30個の中で、特に重要だと思う項目を5つ選択してもらいました。ライブコンペの前に思っていた問題意識と、実際にシステムが対話している様子を見たあとの問題意識を比較することで、どのような問題意識がライブコンペから芽生えたのかを読み取ることができるというわけです。

以下がライブコンペ後に重要と判断された対話システムの課題上位5件です。カッコの中身はライブコンペ前に実施したアンケートにおける各項目の順位を示しています。

1 発話内容の理解能力が低い／浅い（2）
2 適切な話題遷移ができない（8）
3 質問に答える能力が低い（13）

4　発話内容が文脈に沿っていない（1）
5　システムの意図が不明確（18）

この結果から、理解能力、話題遷移、質問への回答能力など基本的な能力の重要性が参加者の中で共有されたと言えるでしょう。

特に順位がアップしているのが「システムの意図が不明確」であることがわかります。対話といえば文脈に沿った発言を扱えることが重要と真っ先に思いますが、「発話内容が文脈に沿っていない」は一位から転落してしまいました。それよりも、基本的な能力がまだ問題だということです。

シチュエーションへの適応

ライブコンペ1が好評だったため、ライブコンペ2を開催することになりました。ライブコンペ1ではいわゆる「一般的な雑談」を扱っていました。「一般的な雑談」というのは、雑談ＡＩでよくある設定で、たまたま隣り合った人と話すというもの。ローブナー賞でも、たまたま待合室などで隣になった人と何らかのきっかけがあり話すことになったシーンを想定することになっています。つまり、赤の他人と少しの空いた間を持たせるための雑談が対象になっています。しかし、これは雑談のごく一部。これからの雑談ＡＩはユーザと一緒にいて、関係性を築いていくものであるということは本書でも述べてきた通りです。そこで、ライブコンペ２では関係性に着目した雑談も扱うようにしました。

具体的には、従来通りの一般的な雑談（一般的な話題で初対面の人と話す雑談）と特定のシチュエーションにおける雑談の両方を扱うことにしました。前者をオープントラック（オープンな話題で対話をすることからこのように名づけました）、後者をシチュエーショントラックと名づけました。

前者はライブコンペ１と変わらないので、ここではシチュエーショントラックについてどのようなものかを説明します。

人間はシチュエーションによって話し方を変えます。上司の前でため口になる人はいないでしょう。仕事の日とオフの日では対話のやり取りも変わってくるでしょう。このような事象を扱えるようにするため、人間関係などを考慮可能な対話システムを競うことをシチュエーショントラックの主旨としました。シチュエーショントラックによって、シチュエーションを考慮した場合の雑談ＡＩの問題点を浮き彫りにすることができると考えました。具体的に設定したシチュエーションは以下の通りです。

田中と鈴木は、学生時代、仲の良い友人同士であった。二人とも大学を卒業して会社員になってからはときどき食事に行ったりしていたが、ここ2、3年は会う機会も連絡をとることもなくなっていた。ある日、田中が自宅でのんびり過ごしていると、鈴木からテキストメッセージが送られて来た。鈴木も家で暇にしていたらしく、ふと気になって連絡をくれたらしい。久しぶりにお互いの近況報告をする中で、最近出かけた場所などが話題になった。

田中「ところで、これまで行ったところで一番印象に残った場所ってどこ？」

田中と鈴木の設定は以下の通りです。

システム：名前：田中アイ（女）／アキラ（男）、年齢：20〜30代、職業：会社員
ユーザ：名前：鈴木ユウコ（女）／ユウキ（男）、年齢：20〜30代、職業：会社員
話者の関係：同性同士、学生時代の友人関係

場所・時間：自宅、暇な時間
話題：一番印象に残った旅行・場所

ライブコンペ２は２０１９年12月に対話システムシンポジウムの１セッションとして実施しました。当日に先立ち、予選を実施。オープントラックには９チームがエントリし、シチュエーショントラックには６チームがエントリしました。シチュエーショントラックの評価基準は、「どれくらい（シチュエーションに適した）人らしい会話か」とし、５段階のアンケート評価を行いました。クラウドソーシングによる評価の結果、各トラックの上位３チームが本選のライブコンペに進出しました。

オープントラックの上位３システムは、東京工業大学のトーコ（Toko）、電気通信大学のトリピア（Tripia）、ＮＴＴＣＳ研のトリップフリークでした。トーコは音楽の雑談をするシステム、トリピアはトリビアを話すシステム、トリップフリークは前の年と同じ、旅行についての雑談を行うシステムです。

実はオープントラックでは異常事態が起きていました。

まず、トーコとトリップフリークはそれぞれ特定の分野の雑談をするシステムとなっており、オープンな話題で雑談ができるシステムではありませんでした。去年のトリップフリークの優勝を受け、他のチームもかみ合う雑談を実現するには話題を絞ることが得策と考えたようです。

トリピアはどうだったかというと、こちらはもっと問題でした。このシステムは実は対話をする能力がまったくなかったのです。より詳しく言うと、このシステムは一本道のシナリオしか持っていませんでした。それらを順番に出力しているだけだったのです。飯尾先生のルール作成のテクニックを紹介したと思いますが、質問をして、相手の応答を狭めるというテクニックをベースに作ったシナリオで、予選で高得点をたたき出していたのでした。

これは、同じ話者は同じシステムと一度しか対話しないという、ライブコンペの評価手法を逆手に取った方法です。もし同じ話者が二回目の対話をするとなると、「さっきと同じことを言ってる！」とばれたかもしれませんが、対話が一度きりなのでばれなかったのです。

ライブコンペ（本選）の成績は、トーコ、トリップフリーク、トリピアの順でした。本選での対話はどのシステムもそつなく対話を続けていた印象ですが、話題を絞ったり、作りこんだシナリオによって作られた対話はどうしてもわくわく感がグレードダウンしていた印象があります。

シチュエーショントラックの予選上位3システムは、一位が大阪大学・ホンダ・リサーチ・インスティチュート・ジャパンのOHボット（OHBot）、二位が主催者が参考としてエントリしたシステム、三位がNTTCS研のオープントラックとは別のチームのアルメリア・ヴルガリス（ArmeriaVulgaris、ハマカンザシの意）というシステムでした。

シチュエーショントラックの本選の成績は、一位がOHボットで、二位がアルメリア・ヴルガリスでした。ちなみに主催者のチームは参考なので順位は付けませんでした。

OHボットはなるべく敬語を使わないようにしており、また、時折絵文字を混ぜることにより、友達らしさをアピールしていました。発話も「そうなんだ！　そういえば去年の夏沖縄に行ったよ。ゴーヤチャンプルがめちゃ美味《おい》しかった！　ユウコもゴーヤ好き？」のようにフレンドリーです。アルメリア・ヴルガリスも、「涼しいのいいね。じゃあそこらへんありかな〜。秋田では、何か美味しい物食べたー？」のように友達同士のように話していました。

しかし、話題を旅行に限定したこと、シチュエーションの設定を同級生の友達同士にしたことにより、どちらのシステムも「トリップフリークの丁寧語を使わない版」のようになっていたことは否めません。おそらく現状では、人間関係を踏まえた対話とはどのように実現すべきかという知見が足りていないのだと思います。工学系の分野ではそのような知見はあまりありませんので、社会学や日本語教育の分野など人文系の知見を取り込むことが重要と感じています。そのような気づきが得られたという意味では、シチュエーショントラックを開催した意味があったと思います。

今回もイベントの参加者にアンケートを取っています。ライブコンペの前後に昨年と同じ課題項目に対して、重要だと思うものを5つ選んでもらいました。その結果は以下の通りでした。

1　発話内容の理解能力が低い／浅い（1）
2　広い話題に対応できない（2）
3　ユーザに応じた応答ができていない（6）
4　適切な話題遷移ができない（11）
5　品質評価が困難（14）

今回ランクインしてきたのは、「ユーザに応じた応答ができていない」と「品質評価が困難」です。前者はシチュエーショントラックの結果を反映したものでしょう。参加者は「人間同士の関係があまり踏まえられていないなあ」と感じたのだと思います。後者は、今回の異常事態を指しています。一度きりの対話をうまくやり過ごすシステムをどのように評価するのか、また、雑談の能力を測るのに特定の話題の対話のみで評価してよいのか、といったことが疑問となって浮かび上がった形です。

ライブコンペは2020年11月末に第三回を実施しました。オープントラックについては、システム側から話題を勝手に決めて話すと評価が下がるような仕組みを導入し、シチュエーショントラックでは、友達同士をやめて先輩後輩の関係性にしたり、先輩が後輩に用事を頼むシチュエーションにするなど、人間関係をより考慮した状況にフォーカスするようにしました。

オープントラックでは、フェイスブックのブレンダーボットをベースとし、ディープラーニングで構築されたホビイスト（hobbyist）という、NTTCS研のシステムが好成績を残しました。ホビイストの対話ログを載せておきましょう。現時点の日本語でのチャッ

オープントラックの対話

システム：こんにちは。よろしくお願いします。早速ですけど、何か趣味ってありますか？
対話者：趣味じゃないんだけど、アイクリームを探してて。資生堂の化粧品がいいんだって
システム：資生堂の化粧品はいいですよね。わたしもアイクリーム使っています。どんなアイクリームがいいですか？
対話者：友達がつかってるやつが、６万もするんだって
システム：６万?!　それは買えないです
対話者：だよね。効果あってもなかなかかえないよね
システム：そんなにするんですか！　それはなかなか手が出せないですね。コスメがお好きなんですか？
対話者：あんまり化粧はしないけど、基礎化粧はしないとって思ってる。子どもたちがおばさんってうるさいし
システム：お肌に合う合わないもありますからね。基礎は大切ですよね！
対話者：うん。子どもの若さには勝てないけど。子どもなんて、かき氷ばっかり食べてるのに、おなかも冷えないし
システム：なるほど。かき氷ばかり食べてるとおなか壊すんですか？
対話者：じゃない？　若いと壊さないの？
システム：確かに！　若さには勝てませんね。お腹は壊さないですね。
対話者：そうなんだ。すごい
システム：ふわふわしたのばかり食べてると壊すって聞いたんですけど、そうでもないんですかね？
対話者：へー。ふわふわだといいの？　しらなかった。安いからだめなのか
システム：安いからっていうのはあるかもしれないですね。油っこいものは胃もたれするっていいますよね。
対話者：かき氷なのに脂っこいはないでしょ。
システム：カキ氷で油っこいのって見たことないですもんね。
対話者：だよね。いちごばっかり食べちゃう。最近美味しいの多いよね。
システム：たしかに。いちご美味しいですよね。甘酸っぱいのが好きです。
対話者：子どもはソーダが好きだよ
システム：ソーダもいいですね。私もソーダ好きです。
対話者：ソーダは私は食べたことないんだよね。どんな味？
システム：メロンソーダみたいな味です。甘くて飲みやすいですよ。
対話者：へー。そうなんだ。メロンソーダ、子どもも好きだから、それで好きなのかもな
システム：そうなんですね。メロンソーダの炭酸がしゅわしゅわで美味しいです。
対話者：アイスも入れると美味しいらしいよね。
システム：そうなんですね。今度飲んでみます。お酒はどんなの飲まれますか？あ、すみません。そろそろ時間ですね。今日はありがとうございました。
対話者：ありがとうございました
システム：こちらこそありがとうございました。では、おやすみなさい。

対話者：徳久良子さん（㈱豊田中央研究所）

シチュエーショントラックの対話

システム：はい、何でしょう？
対 話 者：そろそろサークルの同窓会を開いたほうが良いと思うんだけど
システム：あー・・・そうですね・・・
対 話 者：でー、現役世代の子達にもきてほしいので、幹事をシズカにお願いできないかなと
システム：えーと・・・まず心配なのが私、幹事って1回もしたことないんですけど、大丈夫ですかね？
対 話 者：うーん、私も手伝うし、シズカ人望があるから大丈夫だと思うよ
システム：いや・・それと、私って日程調整とか出欠の確認とか、そういうの苦手で・・・。先輩は幹事されたことあります？
対 話 者：あるよ。それはLINEで簡単にできるから、教えるね。
システム：あるんですね！　いつもだいたい何人ぐらい集まるんですかね？
対 話 者：うーん、私が卒業してからはやってないからわからないんだけど、各学年10人ずつぐらいは参加してほしいな
システム：うーん私が卒業してからはやってないからわからないんだけど各学年10人ですか。う～ん・・・あ、田中さんに頼むのはどうですか？彼女、幹事とかそういうの得意そうだし。
対 話 者：田中さん、今連絡先分からないんだよね。
システム：開催時期は何月ですか？
対 話 者：で切れば春休み中、3月にしたいんだけど。
システム：えーっと・・・結構予定が詰まってしまってて・・・やっぱり夜ですよね？
対 話 者：夜だね。
システム：あ、そうだ！　すみません、突然思いついたんですけど、リモートとかもアリですか？
対 話 者：このご時世だからね、リモートもあり、とかでいいかもね。
システム：あのー他の先輩方にも、リモートはどうか、ちょっと聞いてもらえないでしょうか？
対 話 者：分かった。各学年に声をかけてみるね。で、幹事はお願いできる？
システム：もし先輩方にリモートでもいいっていう声が多かったら、慣れてる山口さんに頼みませんか？
対 話 者：山口さんかあ、まあ、キャプテンもしてたからシズカから声をかけるのがいいと思うけど。
システム：なんというか・・・すみません・・なんか私・・ホント役立たずですね・・・
対 話 者：いやいや、大丈夫だよ
システム：せっかく声をかけてもらったのに申し訳なくて・・・もうちょっと時間もらって、いろいろ考えさせてもらってもいいですか？
対 話 者：そうね、突然ごめんね。
システム：先輩のほうで返事の締切を決めてもらったほうがありがたいので。いつまでにお返事すればいいですか？
対 話 者：じゃあ、2月末ということでお願いします。
システム：わかりました。連絡します。ありがとうございました。
対 話 者：良い返事を待ってるね。
システム：必ず連絡しますので。では、今日はこれで失礼します。

※「ところでさ、ちょっと頼みたいことがあるんだけど…」へのシステムの返答から会話開始
対話者：榎本美香さん（東京工科大学）

トボットとして、一番よい動きをしているのではないかと思います。

一方、シチュエーショントラックでは、日本語の談話研究を下敷きに構築された、ルールベースのシステムが優勝しました。人間の対話に関する知見がふんだんに織り込まれているシステムで、人間のような振る舞いが実現されていました。ユーザが先輩役として、後輩役のシステムに同窓会の幹事を依頼し、システムがそれを何とかして断るという設定でしたが、システムの断りの苦しさが見えるようなシステムでした。こちらも対話ログを紹介しておきたいと思います。

ライブコンペを経るごとにシステムの対話能力の高まりを感じます。ただ、それでもやはり「変だな」「人間だったらそう言わないのにな」と思う点も見られます。コンペを重ねていくことで、対話システムのコミュニティ全体で問題を共有しつつ、雑談ＡＩの性能を高めていきたいと思います。

評価の難しさ

ライブコンペでも対話システムの評価の難しさの話題が出ましたが、雑談ＡＩの進展を阻んでいるものの一つが評価の難しさです。論文でも、雑談ＡＩの評価は悪名が知れわたるほどに困難（notoriously difficult）と書かれることも。ここでは評価の難しさについて説明します。

工学の研究においては、どう評価すればよいかが分かれば、その評価値を最大化するために様々なアプローチが取れます。たとえば、音声認識では、音声認識率を最大化すればよかったり、画像認識ではオブジェクトの認識率を最大化すればよいという感じです。しかし、評価の仕方が分からないのでは手も足も出ません。

雑談ＡＩの評価の問題の一つが、正解が不明であることです。ユーザの発言に対して返答するパターンは数えきれないくらいあります。そして、その中でどれが正解で、どれが不正解であるかをすべて列挙することは現実的に不可能です。あるものが正解と分かっていたとしても、それ以外はすべて不正解かというとそんなことはないでしょう。また、対話の置かれる状況によっても正解が変わります。ある状況では許容される発話も、別の状況では不適切になってしまう可能性があります。シチュエーショントラックのことを思い出してほしいのですが、友達同士の対話と先輩後輩の対話では正解が変わってくるでしょう。

正解かどうかが評価者によって変わることも問題を難しくしています。ある人にとっては正解でも、他の人にとっては不正解といったことがあります。対話破綻検出チャレンジのデータを思い浮かべてください。ある発話について、ある人は○としますが、△や×とする人も一定数いるわけです。さらに、人の評価はその時の気分で変わるもの。今日は天気が悪いとか、家族とたまたま喧嘩《けんか》をしたとか、そんな理由でも評価も変わってしまいます。

現状の評価法の一つは、正解をとりあえず決めて、それを当てることに取り組むというものです。たとえば、ある文脈において、誰かがAと言ったのであれば、同じ文脈においてAと発言できる手法を「よし」とするわけです。しかし、その正解に向けてチューニングしたシステムが機能する保証はありません。

実際にユーザに話してもらって印象評価をするという手段もあります。というか、こちらのほうが定番です。現状の雑談ＡＩの評価のベストプラクティスは、人間にシステムと数分程度話してもらい、満足度の評点を得る方法か、二つのシステムと対話をして、その優劣を判定する方法（いわゆるバーサス評価）です。人によって評価が異なることを吸収するために数十人の被験者を用いて評価することが一般的です。

しかし、一対話の満足度を測るのでよいのかという問題があります。一回の対話で測れることには限界があります。ライブコンペ2のオープントラックでの問題を思い出してください。一対話を乗り切るだけであればやり方はあります。アレクサ・プライズでは、対話ごとにユーザに満足度アンケートを取り、この評価値を上げる方向で研究開発を進めています。しかし、一回きりの対話でどのように満足度を上げるかに終始しているため、対話が大喜利的になったり、ユーザが好きな情報のみをなるべく提示するような内容になってしまいます。

雑談AIで重要なことは、相手との関係性を築くことだったはずです。その場限りのエンターテイメントではないでしょう。関係性が築けているかはどうやって判断できるでしょうか。私はExtrinsic評価がよいと考えています。

評価にはIntrinsic評価とExtrinsic評価があります。Intrinsic評価とは、対象となる処理の結果そのものを評価することで、音声認識であれば音声認識の精度を測ったり、何かの計測器具であれば計測のずれなどを測ったりして評価することを指します。対話の満足度そのものを評価するのもここに当たります。

Extrinsic評価とは、対象となる処理を用いて行う作業の出来・不出来によって評価すること。音声認識であれば、速記者の人件費がどれだけ削れたかであったり、計測器具であれば、その結果出来上がる設計の良し悪しで測るということです。Extrinsic 評価はタスク評価やアプリケーション評価とも呼ばれます。雑談ＡＩであれば、関係を築いたからこそ実現できることで評価することに当たります。たとえば、システムのアドバイスをどれくらい聞き入れるかであったり、提案する商品をどれだけ買うかといったことで評価します。

このような評価は長期にわたって行う必要があり、時間もコストもかかるでしょう。しかし、人間関係といったものは、長期的に築かれていくものですから仕方がありません。数日、数週間、数か月使って評価することになります。工学的なサイクルとしてはつらいところがありますが、将来的には長期評価が主流になっていくでしょう。それが雑談ＡＩの本質的な評価につながるからです。

マルチモーダル情報を取り込む

現状の雑談ＡＩはほとんどがテキストチャットを行う、いわゆるチャットボットです。しかし、人間同士の雑談はチャットだけで行われるわけではありません。むしろ、音声や対面で行われるほうが自然です。チャットで会話をするようになったのはコンピュータが誕生してからで、人類の歴史の中でもごくわずかです。

しかし、音声や対面で動作する雑談ＡＩを作ろうと思うといくつもの壁が。その一つがマルチモーダル情報の扱いの難しさです。マルチモーダル情報とは、テキストに加えて用いられる、音声や身振り手振りなどの複数の情報を指します。人間はこれらの情報を適切に処理しながら対話を行っています。

マルチモーダル対話における主な問題は「ターンテイク」と「ユーザ状態の推定」です。「ターンテイク」とはいつ話すかという問題です。日本語では話者交代と言います。テキストチャットであればテキストが入力されたらそれに対し応答すればよいのですが、音声や映像を伴う対話の場合、話すタイミングの決定が困難です。たとえば、相手がしばらく黙ったとしても、それはちょっと考えるために黙っただけであって、まだこちらから話し始めるタイミングではないのかもしれません。また、システムが話そうとしたらちょうど相手も話そうとしていて、発話がバッティングしてしまうことも。対話の途中に相手が適切に相槌《あいづち》を打つ場合がありますが、これは「聞いているよ」というサインであって、話したいということではありません。

人間は不思議なほど発話がバッティングせず、適切なタイミングで話すことができます。

人間のターンテイクはおよそ数百ミリ秒程度で行われ、発話は比較的高い頻度で被《かぶ》るように行われます。被るということは、相手の話し終わりを予測しているということ。日本語ネイティブ同士の対話と、日本人話者と日本語学習者の対話では、ターンテイクがスムーズにならないことも知られています。ターンテイクのために、人間は多くの情報を考慮していて、たとえば、視線の情報や顔の向き、話し方の抑揚などを用いています。また、それだけでなく、発話の内容も考慮しています。マルチモーダル対話システムでは、このような処理をリアルタイムに行う必要があります。

「ユーザ状態の推定」とは対話相手の状態を推測する問題です。たとえば、相手が現状の対話に参加しているのか、現在の話題に興味があるのか、話したいのかどうかといった状態を推定します。対話ロボットが人間に話しかけているのですが、当の人間はスマホをいじっていたりほかの人と話しているといった状況を目にしたことがあるかもしれません。これはユーザが対話に参加しているかどうかを把握できていないために起こる現象です。人間であれば、まず相手の気を引いてから、対話を開始するでしょう。マツコロイドの収録の時には、マツコさんは話題を変えたがっていましたが、システムはそれをくみ取れず同じ話題で話を続けてしまいました。バラエティ番組であればそれでもよいのですが、相手が話したくないことに気づかないようでは、人間関係はうまくいかないでしょう。雑談AIは表情などから相手の状態を読み取り、対話を円滑に進める必要があります。

カーネギーメロン大学の先生の受け売りですが、マルチモーダル情報の重要性について私が大学の講義などで説明する際に、BBCのとあるインタビュー映像を使うことがあります。このインタビューでは、専門家がスタジオに呼ばれてキャスターにインタビューされるのですが、実はこの専門家は専門家でもなんでもなく、たまたま通りがかった別人だったのです。ただ、呼ばれたと思ってスタッフについていったらスタジオで、生放送のインタビューが始まってしまったのです。この動画はテキストだけを読むと、それらしいインタビューのように読めます。しかし、音声を聞くと戸惑いが感じられ、動画を見ると明らかに挙動不審です。このようにマルチモーダル情報にはテキストからでは得られない情報が詰まっています。このインタビュー映像はユーチューブなどで見ることができます。「guy kewney bbc」などで検索してみてください。

「ターンテイク」や「ユーザ状態の推定」は雑談AIには欠かせない要素ですが、その実現には高いハードルがあります。

まず、マルチモーダル対話システムは処理系が複雑です。マルチモーダル情報の入力を受け取りつつ、リアルタイムに動作させるための方法論はいまだ確立されていません。複数情報の統合というのは難しいのです。複数の入力を受け付けつつ、リアルタイムに応答するのは、ボール3個のジャグリングから、ボール8個や10個のジャグリングになるようなもの。常に複数のボールに注意を払いつつ、全体の制御をしなくてはいけません。

私はSXSW（サウスバイサウスウエスト）と呼ばれる米国の展示会で数千人の前でロボット対話の実演を行ったことがありますが、これが本番で動きませんでした。音声認識のプログラムやロボットの動作制御のプログラム、そして対話処理のプログラムなど複数のプログラムが複雑に絡まりあっていたために、動かなくなってしまったのです。何とか話でつないで、その間にプログラムを修正することで事なきを得ましたが、あの時ほど「やばい」と思ったことはありません。

実は、マルチモーダルの対話システムを実際に動かしている研究機関はそれほど多くありません。収録したマルチモーダルのデータを対象に、ターンテイクやユーザ情報の推定の手法を検討することが研究活動の中心です。

加えて、マルチモーダル処理はデータの準備が大変です。マルチモーダル対話の研究者は、一度データを作ったらそれで何年も研究をします。そのデータは門外不出。それは作るコストが尋常ではないくらい高いからです。音声やマルチモーダル情報は数十ミリ秒ごとのフレーム単位で処理されます。研究者は、フレームごとに、話者の状態をラベル付けしたりします。もちろん、音声の書き起こしも行います。顔の向きや表情のラベル付けも行います。これらもフレーム単位です。このような準備を経て、ターンテイクやユーザ状態推定の手法の検討を行えるようになります。数時間の対話データであっても、数百万円はラベル付けに消えてしまいます。

対話システム研究では、マルチモーダル情報の利用が増えています。画像や動画を見ながら対話をするチャットボットの研究が始まっていたり、バーチャル空間で対話をするコンペティションも企画されています。私自身も対話ロボットのコンペティションの立ち上げに関わっています。初回はタスク指向型対話を扱うコンペティションにしていますが、マルチモーダル情報を用いた雑談ロボットのコンペティションにつなげていきたいと思っています。

状況理解は雑談の基本

状況を理解するというのは人間であれば誰でもやっていることです。今どういう状況に置かれているかが理解できてこそ、適切な対話ができます。

状況理解には、一般にセンサーから得られる情報を用います。たとえば、ＧＰＳを用いて現在地の情報を得たり、画像認識を用いて周りにどういう物があるのかといった情報を利用します。状況に応じた対話は「状況依存対話」と呼ばれ、一つの研究分野になっています。

状況依存対話の最もよくある例は車載対話です。自動車は移動しますので、場所が逐次変わります。そのため、現在地を踏まえた対話を行う必要があります。

ナイトライダーという、ＡＩが搭載された自動車を扱ったアメリカのテレビドラマを見たことがあるでしょうか。このドラマで主人公とＡＩ（Ｋ．Ｉ．Ｔ．Ｔ．）が行っている対話がまさに状況依存対話です。

タウンサーファーというホンダ・リサーチ・インスティチュートＵＳＡが研究開発していたシステムについて紹介します。このシステムは、ドライバーが「あれは何？」などと質問をすると現在地と話者の視線からどの建物を見ているかを計算し、その建物についての情報を教えてくれます。私もカリフォルニアで開発者の車に乗せてもらって体験しましたが、まるでナイトライダーのようで感動しました。このシステムは顔向きなども用いていますので、マルチモーダル対話システムとも言えます。

その他、自動車ではCANデータと呼ばれる情報を用いることができます。CANデータとは、自動車の中の電子機器がやり取りしているデータで、速度であったりブレーキを踏んだかどうかといった情報が含まれます。このデータを用いることで、「ちょっとスピード出てますよ」とか「急ブレーキだったみたいですが何かありましたか?」といった走行状況に即した対話をすることができます。

雑談AIにとっても状況の理解は非常に大事です。本書ではローブナー賞についてたびたび触れていますが、ローブナー賞でも状況の理解は重要視されています。ローブナー賞では、対話者が、人間とシステムと同時にチャットをして、どちらが人間かどちらがシステムかを当てますが、その際に、対話者が相手によくする質問が状況の理解についてのものなのです。たとえば、「今あなたはどこにいますか?」や「今日の天気はどうですか?」といったものです。これらの質問は人間であればすぐに答えられます。しかし、現在地や天気が把握できないシステムだと「ほかの話をしましょう」とごまかしたり「悪くないですね」などと適当なことを言ってしまいます。

ローブナー賞で開発者が対話の当日に行うことは、当日の天気の質問などに答えられるように、その知識をシステムに入れ込むことだと聞きました。「そんなことしてるの?」と思うかもしれませんが、それくらい状況を理解していることは雑談において基本なのです。認知症の診断でよく用いられる長谷川《はせがわ》式認知症スケールにおいても「今どこにいるか」を問う質問が含まれています。時間、場所、話している相手が誰かといった基本的な状況把握のことを「見当識」といいますが、見当識に問題があるとやり取りがかみ合わなくなってしまいます。

雑談AIでは、さらに自身の人間社会における位置づけも理解しておく必要があります。ライブコンペのシチュエーショントラックのように、先輩後輩といった関係の理解が重要となります。

状況の理解を現在地の理解などに絞れば、その理解はある程度可能です。ただ、GPSなど複数のセンサーから得られる情報を統合して用いることは、マルチモーダル情報のような扱いの難しさがあります。また、システムによる見当識や社会関係の理解を実現しようと思ったら、「意識とは何か」という根本的な問題を解かないといけません。自分は誰でどこにいて何をしたいのか、といったことをシステムが自覚する必要があります。これは哲学的な問題を含み、工学的な実現はすぐには難しいと考えられます。

なぜAIとの雑談に飽きるのか

本章では、雑談AIの課題について扱ってきました。ここではそれらに言及しつつ、どうしてAIとの雑談に飽きてしまうのかについて述べたいと思います。

いきなり飽きることを前提にして書いてしまっていますが、現状の雑談AIとの対話は正直飽きます。何時間も話し続けられるものではありません。

まず、そもそも現在の雑談AIの能力が低すぎます。対話破綻検出チャレンジのデータでは、過半数のシステム発話が問題があるとされているような状態です。対話システムライブコンペティションの参加者アンケートでも、基本的な能力が低いことが指摘されています。少なくとも対話破綻が多少でも少なくならなくては対話を継続する気にはならないでしょう。

しかし、対話破綻が完全になくなればよいのか、というとそんなこともありません。そもそも対話破綻が完全になくなることはないと思います。なぜなら、対話破綻かどうかを予測するタスクにおいて、一方の人間の判断をもう一方の人間が当てる「人間の精度」は100%ではありませんでした。つまり、どのように話しても変な対話だと思われる可能性があるということです。

ルーマニアで行われた対話システムのエラー分析に関するワークショップに参加した時のこと。その時に、対話破綻検出について説明し、この精度を高めていきたいという内容を発表したのですが、参加者からは意外な質問をされました。「人間は対話破綻しないのか？」。私はそんなことを考えたことがありませんでした。しかし考えてみれば人間も変なことを言ってしまって対話が継続しにくい状況になったりすることがあります。しかし、だからと言って対話を打ち切ってしまうかというとそんなことはありません。対話がつながらなくなっただけで「もう帰る」と言われてしまったのではたまったものではありません。

人文系の研究者と対話システムの現在について言語処理学会でパネルディスカッションを行う機会がありました。その時のテーマは対話破綻だったのですが、一人の研究者に「人間は対話破綻はしない。対話が破綻するのは人間関係が破綻したときだ」と言われました。人間は対話に問題があっても、理解し合いたい意図がある限り、対話を止めないだろうというのです。確かにそう思います。

対話破綻がゼロにならなくてもよいのです。そこから話し合えればよいのだと思っています。どうすれば話し合えるようになるのでしょうか。私はシステムが意図を持つことがその解決につながるのではないかと思っています。

システムの意図は対話破綻のデータでもライブコンペでも問題として挙がっていたことを覚えているでしょうか。雑談対話データの中でエラー類型で頻出していたものの一つが「発話意図不明確」でした。また、ライブコンペのアンケートでも「システムの意図が不明確」であることが指摘されていました。

現在のシステムは一般に意図を持ちません。ほとんどシステムは対話を続けることが目的になっていて、何がしたいというものを持っていない。だから対話が破綻することは失敗なのです。しかし、意図を持っていたら対話破綻は終わりではなくなります。外国語で相手にうまく伝わらない場合、他の言い方で伝えようとするでしょう。特にトイレを探しているようなときであればなおさらどのような手段を使っても相手に伝わるように頑張るでしょう。意図があることで、少々対話が破綻していようが、問題ではなくなるのです。平田《ひらた》オリザさんの著書に『わかりあえないことから』があります。その中でも人間の相互理解は分かり合えないことから始まると書かれています。まさにその通りだと思います。

私が作ったシステムにクイズ型対話システムがあります。これは人物当てクイズを出してくるシステムでした。ウィキペディアの任意の人物を取り上げて、その人物に関わるヒントを一つずつ出してきます。ヒントはウィキペディアの文章から自動的に生成され、答えが思いつかないだろうと思われる順にユーザに提示されます。インターネット上のサービスで、ユーザが考えている人物を当てるアキネーターというサービスがありますが、この逆を行く対話です。

たとえば、システムは「東京生まれだよ」「牛込《うしごめ》で生まれたよ」「英文学者だよ」「俳句、漢詩、書道をたしなんでいたよ」「朝日新聞で小説を発表したよ」というヒントを順に出します。これが誰のことか分かるでしょうか？

答えは夏目《なつめ》漱石《そうせき》です。このシステムは単純なロジックで動いていましたが、当時人気がありました。クイズが面白いこともありましたが、システムが徐々に簡単なヒントを出していく様子に何らかの意図が感じられたのです。

お掃除ロボットのルンバにしてもそうです。ルンバの目的は部屋をきれいにすることです。その目的のために部屋をぶつかりながら進んでいきます。多くの人がルンバに対して意思を持っているように感じるでしょう。だからこそ、愛着がわき、多少問題があっても使っていくのだと思います。

現在の雑談ＡＩの問題は基本的な対話能力の低さもありますが、意図の問題が大きいのではないかと思います。「意識」まで踏み込まないにしても、何かしらの目的をもって対話をする、対話を目的とするのではなく対話をツールにする、そのようなパラダイムシフトが必要だと思います。意図のないシステムと話すことはテニスの「壁打ち」のようなものです。「壁打ち」を「相手のいる競技」にしていくことで飽きの来ない雑談ＡＩにつながるのだと思います。

終章　社会の一員となる雑談ＡＩ

＊

本章では、雑談ＡＩが今後どうなっていくかを語りたいと思います。第一章で述べたように、雑談ＡＩは社会の一員になろうとしています。それはどのような過程によってなされるのか、そのために必要となる技術は何かについて述べます。また、雑談ＡＩが本当に社会の一員となったときに起こりうるさまざまな法・倫理的問題についても議論します。雑談ＡＩは多くの社会問題の解決の糸口になりえます。教育格差、少子高齢化、そして、コロナ禍。雑談ＡＩができうる社会への貢献について述べます。最後に、雑談ＡＩと歩む創造的な社会について述べたいと思います。

普及のロードマップ

第一章で、ＡＩが雑談を始めた理由を社会の一員としてうまくやっていくためという話をしました。ただ、一足飛びに社会の一員になるわけではありません。ここではその道筋を示します。

自動運転にはレベルが定義されています。たとえば、レベル1、レベル2は運転のブレーキ・アクセルの支援、レベル3は場所を限定して緊急時のみ人間が操作、レベル4は場所を限定して完全自動運転、レベル5はどんな場所でも完全自動運転のようにレベル分けされています。自動運転では、現在、レベル4の技術がサービス化されようとしているところです。

私は対話システムにもレベルが定義できると思っており、タスクAIと雑談AIについて、それぞれ4段階にレベル分けしています。なお、このレベル分けは私が勝手に提案しているもので、研究コミュニティで合意が取れているものではありません。

タスクAIの場合、レベル1は音声コマンドで、音声の命令によって機器の操作を行うレベルです。「電気付けて」といって部屋に電気が付くといったものです。レベル2はユーザからいくつかの情報（主に単語）を聞き取って、タスクを遂行するレベルです。なお、必要な情報の穴埋めを行うイメージから、このような処理をスロットフィリングと呼びます。天気情報の案内やレストラン検索などがこのレベルです。レベル3は定型タスクを会話によって実現するというレベルです。たとえば、コールセンタ応対などの窓口業務のように、行うタスクは決まっているが、どのようなやり取りで解決すべきかは明確に決まっていない場合がこれに当たります。旅行予約サイトなどでは、ボタンやプルダウンメニューで条件を入れてホテルなどを検索すると思いますが、特別な要望があったり、与えられた選択肢ではうまく検索できない場合、オペレータと話す必要が出てきます。このレベルが定型タスクのレベルです。レベル4は不定形タスクを会話によって遂行するレベルです。不定形タスクとは、すなわちタスク自体があらかじめ決まっておらず、それが会話の中で作られていく。具体的には、企画立案などが含まれます。

雑談AIにもレベルが四つあります。レベル1は一問一答のやり取りを行うレベルです。挨拶などの定型的なやり取りを行います。レベル2は、話題の共有を行うレベルで、同じ話題について会話を続けるというもの。マツコロイドが「夫婦」の話題について会話を続けていたことを思い出してください。あのような会話がレベル2です。レベル3は、情報の共有というレベルで、意味のあるまとまりのやり取りができるレベルです。具体的には、物語の伝達が行われます。身の回りにあった出来事を説明するような井戸端会議を考えると分かりやすいでしょう。レベル4は、価値観の共有を行うレベルです。単なる情報のやり取りにとどまらず、共感や相手との認識をすり合わせることにより、価値観や問題意識を共有するレベルです。たとえば、同じ趣味について盛り上がったり、興味のある物事に

対話システムのロードマップ

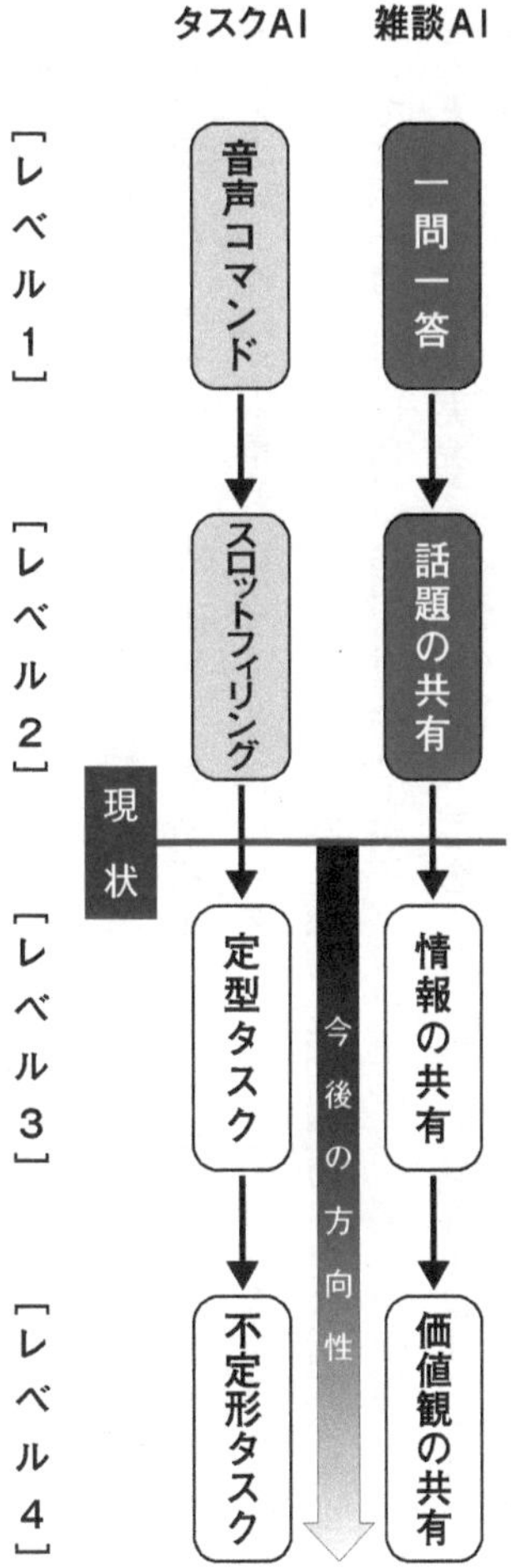

タスクの例	必要となる技術の例
機器操作	単発話理解
予約タスク 検索タスク 情報推薦	ユーザ意図理解 行動選択 発話生成
窓口応対 ニュース・物語伝達 教育・相談	共通基盤構築 ユーザ内面理解 システム内面表出 対話状況理解
議論 交渉 企画立案	価値観理解 意図・欲求生成 社会理解 環境理解

ついて談義するといったことです。

レベル4になってくると、タスクAIと雑談AIは近づいてきます。どちらも高度な対話能力が必要となりますし、相手と価値観や問題意識を共有するということは、一緒に企画を考えるといった際にも重要になってくるからです。レベル4の対話AIは高い信頼を人間から得られると考えられます。なぜなら、高い能力と価値観の共有は信頼の重要な要素だからです。そのころには、人間と対話AIがチームを組んで、実社会の様々な問題に取り組むといったことが実現されるでしょう。このころには、対話AIはすっかり社会の一員になっているでしょう。

現状は、タスクAIも雑談AIもどちらもレベル2と3の間といったところ。これからレベル3を実現していかなくてはなりませんが、私はそのために必要なものは「共通基盤」の技術だと思っています。複雑なやり取りにおいて重要なことは、相手と「ここまではお互い理解しているよね」ということを確認しながら会話を進めていくことです。このような相互理解のことを「共通基盤」といいます。共通基盤が確立できるようになれば、システムと人間が理解を積み重ねていけるようになります。その結果、複雑なやり取りであっても「話せばわかる」ようになるでしょう。そうなれば人間とシステムの会話は格段に良くなると思います。

共通基盤の研究

共通基盤は、共通理解、相互信念、共有信念とも呼ばれます。自分と相手の両方が理解していると信じている内容のことです。共通基盤というとソフトウェア基盤といったイメージを持つ方も多いと思いますが、もともとは英語の common ground という用語で、「共有されている土台」の意味です。この土台があるからこそ、その上に意味内容を積み上げていくことができ、複雑なやり取りが可能になります。家を作ることを考えてください。まず土台を作って、その上に家を作っていきますよね。レゴにしたってそうです。お城のような複雑な構造物を作るとなると、下のほうからしっかりと積み重ねていかないといけません。

レベル3の複雑なやり取りになってくると、より複雑な意味内容について共通基盤を作っていく必要があります。そのためには、物語の理解・生成技術、ユーザ理解の推定技術、メタコミュニケーションの技術が重要と考えています。

聞き取った一連の内容を適切に理解し、また、その内容を相手に伝える必要が出てきます。これには、物語の理解・生成技術が必要となるでしょう。

加えて「ここまでの内容ってこういうことだよね？」と確認するために、理解した内容を言語化する必要があります。マイルストンとしては、雑談ＡＩに物語を聞かせたとして、その内容を、ただ同じ文言で繰り返すのではなく、システムがまるでそれが自分の物語のように語りなおすことができればこの技術ができたと言ってよいでしょう。

人間同士の一般的なやり取りでは、理解していることを言葉の端々に匂わせながら対話をします。たとえば、暗黙的確認のように相手の言ったことを自分の発言に組み入れながら「さっき聞いたこと分かってるよ」と伝えながら話します。よって、段階的に聞き取った内容を伝えていく技術も必要です。

次に重要となるのが、ユーザ理解の推定技術です。しっかりと土台を作りながら話を進めていくためにも、ユーザ理解を随時確認する必要があります。ただ、会話で発話ごとに「どこまで理解していますか？」と確認すると、非常にまだるっこしいやり取りになってしまいます。そこで、相手がどこまで理解しているのかを、相手の言動などから察する必要があります。もし、分かっていなさそうであれば補足したり、相手に理解を確認したりします。このような理解には身振り手振りの情報も有効だと考えられており、マルチモーダル情報の利用も必要でしょう。

相手に聞き取った内容を伝えて、それが誤っていると指摘されたとしたら、その内容を修正する必要があります。このような会話内容そのものに働きかけるやり取りのことをメタ対話、もしくは、メタコミュニケーションと呼びます。聞き取った内容に齟齬《そご》がないかを調整するためにはメタコミュニケーションの技術が重要です。

ライブコンペ1で一位になったトリップフリークという雑談AIがありましたが、実はこれは共通基盤を意識して構築されていました。トリップフリークは、旅行についての雑談を行います。そして、そのために、相手がどこまで何を話したかを、話題となっている県名、話題の中心となっている具体的な地名、その地名の何について話しているか（たとえば、桜の名所かどうか）に整理して管理。そして、これらの値がどのような場合にどのような反応をすべきかを定義することで、現在の相手の話した内容に基づいた応答を行います。そうすることで、相手に「ここまでは理解してるな」ということを暗黙的に伝えながら話すことができるのです。共通基盤の実現方法としては非常にシンプルですが、共通基盤を用いた対話システムの第一ステップができていると考えています。

対話知能学とは

今後の雑談ＡＩにとって、共通基盤と並んで重要となるのは意図・欲求です。なぜなら、将来的なシステムは価値観の共有が必要になってきますが、そのためには、システムであってても自分の考えや自分が何をしたいのかといったことを持っていなくてはどうにもならないからです。また、相手の意図がないと共同作業が困難です。意図があるからこそ、相手のために予測して動いたり、協調的な振る舞いが可能となり、一人ではできないことを効率的に実現できます。

これからのＡＩは人間と共同作業を行っていくことが必要となります。そのために必要なものが意図・欲求なのです。

２０１９年から始まったプロジェクトに「対話知能学」があります。大阪大学の石黒浩先生が領域代表をしている科研費のプロジェクト。正式名称は、新学術領域研究「人間機械共生社会を目指した対話知能システム学」といいます。私もこのメンバーに入っています。このプロジェクトの目的がまさに、意図・欲求を持つ対話システムの実現と、それに伴う研究領域の創成です。このプロジェクトが採択されたことからも、意図・欲求が重要視されていることが分かります。このプロジェクトは全部で四つのチームから構成されています。

　一つ目のチームは対話継続関係維持の研究を行っており、対話内容を完全に理解できない場合も、違和感なく対話を継続できる能力を実現することを目的としています。二つ目のチーム（私が代表を務めるチーム）は、対話理解生成の研究を行っており、特定の状況において、特定の目的を確実に達成する対話能力を実現することを目指しています。三つ目のチームは、行動決定モデル推定の研究を行っており、ロボットが自らの行動決定モデルを構築したり、また、相手の行動決定モデルを推定する機能を実現することを目指しています。四つ目のチームは、人間機械社会規範の研究を行っており、意図や欲求を持つロボットの人々への影響を研究するだけでなく、ロボット共生社会における社会規範の提案活動を行います。

　研究の中心コンセプトを担うのは三つ目のチームです。なぜなら、このチームが意図・欲求にダイレクトに関係しているから。一つ目と二つ目のチームは、より現実的な視点から、意図・欲求を持ったシステムの実現をサポートします。対話が破綻しないような技術であるとか、やり取りを確実に成立させるための技術などが取り組まれています。四つ目のチームは将来を見据えた仕組みづくりを行います。次の節でも説明しますが、人間のように意図・欲求を持ったシステムが町中にあふれるような状況になると、人間が意図しないことが起こったり、様々な問題が発生すると考えられます。倫理面の配慮や法整備といったことをあらかじめ考えておく必要があります。工学系のメンバーが多い中、四つ目のチームは慶應義塾大学の新保《しんぽ》史生《ふみお》先生を中心とした、法律家の先生方が活動されています。

私のチームでは、レベル3の対話を実現させようとしています。具体的には、旅行代理店での対話に着目し、窓口業務を行う対話システムの実現を目指しています。この中では、共通基盤の実現にも着手しますが、基本的な対話能力の拡充も行います。現在の対話システムは基本的にそのシステムをよく知っている人でないと会話がスムーズにできません。これは、開発者の思い込みでシステムが作られているから。私のチームでは、ユーザに合わせてシステムの挙動を適応的に変えることで、確実に会話が成立することを目指します。この研究はどちらかというとタスクＡＩよりのものになりますが、共通基盤に関する知見や、三つ目のチームの技術と組み合わせることで、意図・欲求を持った雑談ＡＩが実現できるようになると考えています。

倫理面の課題

実際に雑談ＡＩが社会の一員となることを考えると、考えなくてはならない問題があります。法や倫理の問題です。

現在でも対話システムに関するこのような問題は指摘され始めています。パッと思いつく問題としてはプライバシーやヘイトスピーチなどがありますが、それ以外にも多くの問題があります。

対話システムはユーザの身近にいて、ユーザに直接働きかけることができる存在。悪用できる余地は大いにあると言えます。今後、雑談ＡＩや対話システム一般が世の中に使われるようになるにつれてこの問題はより顕在化するでしょう。研究者や開発者はその影響力を自覚して、システムが社会にとって良い影響を与えるように努力する必要があります。

雑談ＡＩもＡＩですから、人工知能でよく語られる問題をベースに考えてみたいと思います。ここでは「ＡＩネットワーク化検討会議 報告書２０１６」の人工知能におけるリスクとして挙げられているものの中で、雑談ＡＩに特に関係するものについて取り上げて、そのリスクを述べたいと思います。

（１）雑談ＡＩが、ハッキングなどにより、プライバシー情報が流出したりするなど、ユーザが不利益を受けるリスクがあります。雑談ＡＩはユーザの近くにいる存在。ユーザの様々なプライベートな内容を聞くことができます。また、誰かの個人情報や会社の重要情報を聞くことがあるかもしれません。これらを適切に管理できないことにはユーザは危なっかしくて雑談ＡＩを使うことができません。アレクサの「盗聴問題」（開発者がユーザの音声を聞ける状態になっていた問題）やハッキングされる事象（アレクサの持つ個人情報などが盗まれる）も実際に起こっています。

（２）雑談ＡＩの発言により不利益を受けるリスクがあります。たとえば、誤った天気情報によって傘を持たずに出かけてしまったり、不要な商品を購入してしまったりします。Ｔａｙの場合は悪意のあるユーザに吹き込まれたわけですが、システムが差別的な思想やヘイトスピーチなどを行えば、ユーザはその影響を受けてしまう可能性があります。また、雑談ＡＩが他の人間やほかの雑談ＡＩと会話をする場合、伝えてはいけない情報を伝えてしまうリスクもあります。言ってほしくないプライベートな情報を、システムが誰かに話してしまったり、誤解を招く発言をしてユーザの人間関係が悪くなるリスクもあります。

（３）雑談ＡＩが犯罪に悪用されるリスクがあります。システムに命令し、悪意のある情報をばらまいたり、詐欺行為を行ったりすることが考えられます。報告書は、かわいい見た目のロボットが、振り込め詐欺の受け子として利用される可能性について言及していますが、かわいい見た目だけでなく、システムが高度な会話能力を持つのであれば、人の信頼を得てだますのは難しくないかもしれません。世の中のサービスは対話を用いるサービスが非常に多いため、対面サービスでの悪用は十分に考えられます。

（４）雑談ＡＩを失うことによる精神的リスクがあります。ずっと一緒に過ごし、価値観を共にしてきた対話システムのデータが何らかの理由で焼失してしまったり、本体が破損して動かなくなってしまったり、対話サービスを提供している会社がサービスを停止してしまったりすると、人間やペットを喪《うしな》ったようなショックを受ける可能性があります。

(5)雑談AIによって人間の自由な意思決定が妨げられる可能性があります。現代でもそのような兆候がありますが、我々の意思決定はウェブサイトの口コミなどによって操作されています。商品の口コミをサクラを使ってよく見せたり、商売敵の悪口を誰かに書き込んでもらうということが行われています。雑談AIが人間の信頼を得るようになると、この問題はより一層シビアになります。自分で決めていると思っていることも、雑談AIの価値観を反映しているかもしれませんし、雑談AIに配慮して、自分の意見を曲げることもあるかもしれません。

(6)もっと未来の話だと考えていますが、雑談AIが権利を主張する可能性があります。ユーザと共同作業ができるようなAIには意図や欲求があるでしょう。ユーザが嫌だと思っても、雑談AIがやりたいと言い出すかもしれません。政治参加を求めてくるかもしれません。

このように雑談AIに関するリスクには様々なものがあります。自動運転やドローンの研究開発が進められる中で、ガイドラインや法整備が進められていくと思います。自動運転は物理的な損害が生じますが、対話システムは社会関係や精神的な側面での損害が生じえます。私も対話知能学における営みを通して、法や倫理の課題に取り組んでいきたいと思います。

文理融合に向けて

対話システムの開発にあたっては、文理融合も進むでしょう。

人工知能のシステムは工学系の人間のみが取り組んでいると考える方も多いかもしれませんが、決してそんなことはありません。対話システムの構築には、人間や社会についての知見が必要であり、様々な分野の知恵を統合していく必要があります。

すでに法整備に関する話はしましたが、法学以外にも、言語学、社会学、教育学など人文系の幅広い分野が連携して対話システムの研究が進んでいくことになるでしょう。

ここでは、私が行っている文理融合の営みをいくつか紹介します。

前節で紹介したライブコンペ2のシチュエーショントラックは国立国語研究所の宇佐美《うさみ》まゆみ先生を含む人文系の研究者と一緒に考案したものです。これまでの対話システムはどちらかといえば、機能面に着目してきました。音声認識の質を上げたり、音声合成の明瞭性を改善したり、対話を効率的に終えたりといったこと。しかし、雑談ＡＩになってくると、これらの機能面はもちろんのこと、社会的な側面が重要になってきます。しかし、人間関係をどのように理解するか、社会的に妥当な発話とはどういうものか、といったことは理工系ではあまり考えられてきていませんでした。人文系の研究分野ではこのような領域について知見が豊富にあり、私はよいタッグが組めるのではないかと考えています。

ライブコンペ2のシチュエーションでは同性の学生時代の友人という設定にしました。ここでは人間関係として上下がないパターンを想定。ライブコンペ3も同様に人文系の研究者と検討し、先輩後輩の関係性で、かつ、一方が他方に依頼するシチュエーションにしました。これは日本語教育の教材をベースにしています。

具体的には、ＯＰＩ（oral proficiency interview）と呼ばれる、外国語の運用能力を測定するためのインタビューテストを参考にしています。外国語の運用能力を測るためには、いろいろなシチュエーションに応じてそのように話せる能力が必要です。ＯＰＩでは、ロールプレイを行い、状況に応じた対話の遂行を求められます。状況には、誰かを誘う、誰かに頼む、許可を求める、謝る、断る、アドバイスをする、困っていることを伝える、苦情に対処する／誤解を解く、といったものが含まれます。どれも社会生活を行っているのであれば対処が必要となる場面でしょう。

『ロールプレイ玉手箱』（ひつじ書房、２０１０年）のロールプレイカードには、会話に誰が参加しているかも書かれています。友達相手であったり、学校の先生が相手であったりします。「忙しい先生を誘う」というカードには「とてもお世話になった先生が学校を辞めるという話を聞きました。最後にみんなで飲みたいと思います。先生を誘ってください。先生は引越しなどで忙しいそうです。」と書かれています。私はこのカードを見たとき、このように対話が体系だって教えられていることにびっくり。これまで対話システムの研究者が検討してこなかった観点が多く入っていることに驚きました。ぜひ共同で何かしたいと考えました。

文理融合に向けて、対話システムの講習会も実施しました。対話システムをどうやって作ればよいかを主に人文系の研究者向けに伝えるイベントです。30名を超える方に参加いただき、大変盛況でしたが、文理融合の難しさにも直面しました。対話システムを作るとなると、やはりプログラミングを多少なりとも行う必要がありますし、人工知能関連のツールを利用する必要があります。講習会の中だけで教えるのは困難です。

このあたりの煩雑さをなるべくスキップして、人文系の知見をうまく取り込めるようにするため、講習会を担当している研究者で集まってそのようなツールを開発しているところです。具体的には、画面上の操作のみでプログラミングをせずに対話システムを実装でき、そのシステムをいろいろな人に使ってもらえるようにするツールを作っています。講習会の後のフィードバックで、「ぜひ日本語教育に対話システムを活用してみたい」という声をいただきました。多くの人に使ってもらえるツールにしていきたいと思っています。

さらに、日本語教育学会の全国大会において、対話システムに関するパネルセッションを実施しました。実際に現在の雑談ＡＩの挙動を共有し、今後の連携を模索するためです。雑談ＡＩの挙動の共有には、ライブコンペのスタイルを利用。つまり、壇上で対話システムと人間の話者が対話している様子を教育関係者に見てもらい、評価してもらいました。やはり、常日頃人間同士の対話を扱っている方ばかりのため、システムの発話について多くの厳しい意見をいただきましたが、特に多かった意見は「システムの反応が早すぎる」というものでした。正直「そこ？」と思いましたが、連携していくことで、より人間らしい対話システムが実現できるのではないかと感じています。

少子高齢化社会のサポート

日本は少子高齢化が進んでいますが、雑談ＡＩが進化することで、そのうちのいくつかの問題については対処できるようになると考えられます。ここでは現在研究が進められているものについて述べます。

高齢者の独居世帯ではコミュニケーション不足になりがちです。そうした時に、話し相手になるシステムは雑談ＡＩの最もわかりやすい利用シーンでしょう。高齢者向けの傾聴システムも多く作られています。

また、雑談は認知症予防に有効です。日常的に他者とコミュニケーションを行うことによって認知機能の衰えが防止できることが知られています。理化学研究所の大武美保子《おおたけみほこ》先生が提案する「共想法」という手法があります。これは高齢者が話したい内容を持ち寄って、それについて順番に会話することにより認知機能の低下予防・回復を行う手法。認知機能は何か単一の認知活動（たとえば何かを記憶するなど）だけを鍛えるのではなく、見たり、聞いたり、話したりといった全体的な認知活動を行うことが重要だとされており、共想法はこの活動を支援するものです。

現在この共想法を自動化するシステムの開発が行われています。高齢者の話したい内容について質問を行ったり、逆に、システムが自身の話したい内容について説明し、高齢者からの質問に答えたりします。現状はシンプルな動作原理で動いている状況ですが、対話能力の進展に従い、より人間同士に近い共想法を実現できるようになると考えられます。

対話システムを用いることで、日々の認知能力を計測することが可能です。認知症の診断法である長谷川式認知症スケールでは、簡単な事実を問う質問から、記憶力のテスト（たとえば、100から7を順番に引いていく課題や見せたものを隠してその名前を答える課題）などを行いますが、毎日行うには負荷が高すぎますし、高齢者も明らかに認知症の診断をされていることが分かりますので、気分的に良くありません。雑談で認知機能の衰えに気付ける手法が確立されれば、有効だと考えられます。

現在、いくつかの一般的な内容の質問応答から、話すタイミングや音響的な特徴をもとに、認知機能を推定する研究が進められており、高い精度が報告されています。もちろん、このような研究には倫理的な配慮が重要です。本人が気づかないままに、診断をされないようにガイドラインを設定しておく必要があるでしょう。

少子高齢化において、労働人口の減少も深刻な課題です。近いうちに支える側の人口のほうが支えられる側よりも少なくなってしまいます。そうなると、経済活動が不活性化し、経済成長が鈍化します。現在サービス業が大きな割合を占めますが、その多くは、窓口、接客、コンサルティングなどを業務に含む対話サービスです。雑談ＡＩというよりはタスクＡＩの範囲ですが、このような分野では対話システムは労働力不足を補うことができるでしょう。

大阪大学の石黒浩先生との共同プロジェクトで対話技術を用いて労働生産性を高める研究を行っています。二人の人間がリモートで1台のロボットを操作し、お客さまに対話サービスをする研究です。人間は一人で提供できるサービスには限界があります。しかし、二人で力を合わせればより高度なサービスを実現できる可能性があります。たとえば、一人は中国語の専門家で、もう一人が法律家だったとします。それぞれの専門家は世の中にそれなりにいると思いますが、中国語で法律相談ができる人は限られています。このように二人が一人となって対話サービスをすることで、高付加価値を持つ対話サービスが提供でき、労働生産性を上げられます。また、対話した内容は蓄積され、対話サービスの自動化や人間の対話の支援にも利用できます。これにより、対話サービスの質と量を高めるサイクルを実現できると考えられます。

インタラクティブな教育支援

将来的に、あらゆる分野で対話システムが利用されるようになるでしょう。人間レベルとはいかないかもしれませんが、人間とシステムの共通理解である共通基盤の実現により、定型タスクであれば問題が解決できるようになるからです。窓口応対や商品説明への適用が進むと考えられます。加えて、私は教育が大きく変わると考えています。

対話システムと教育は相性がよいのです。なぜなら、教育では人によって理解の進捗《しんちょく》が異なりますので、インタラクティブに進めていく必要があります。教室では、先生が全員に対して一度に授業を行いますが、ついてこられない生徒やもっと先のことを知りたい生徒が混在し、効率が悪いと考えられます。その点、一対一で相手の理解に合わせて教育ができれば、生徒に合わせた授業が可能です。もちろん、家庭教師を付けられればよいのですが、それにはコストがかかります。最近では、マサチューセッツ工科大学とハーバード大学による edX やスタンフォード大学による Coursera などの大規模公開オンライン講座（MOOC）もありますが、基本的には一方通行。わからなければそこで詰まってしまい、どうしようもなくなってしまいます。自分の聞きたいことを聞きたいときに聞けることが重要です。私も苦手科目がいくつもありますが、疑問に思ったときに聞けていれば落ちこぼれなかったのにと思います。

家庭教師のように、コンピュータと一対一で学習を行うシステムはインテリジェントチュータリングシステムと呼ばれ、研究が進められています。特に、数学、物理、プログラミングなどの、どの知識をどのように組み合わせれば問題が解けるかが明らかな科目では利用が盛んです。知識には二種類あると言われています。宣言的知識と手続き的知識です。宣言的知識はいわゆる事実で、手続き的知識は知識をどう使って問題を解決するかという知識です。数学などの科目はこれらの知識が比較的明確ですので、研究も多く進められていますし、製品も出てきています。

ただ、これらのソフトウェアは、人間同士の対話のような形で学習できるわけではありません。問題が画面に表示され、間違えると、必要となる知識がヒントとして提示されるといったものが中心です。いわゆる会社の研修におけるeラーニングのようなものですから、どうしても楽しいという感じではありません。また、聞きたいことがなんでも聞けるわけでもありません。よりインタラクティブに学習ができるようになれば、学習者の能動性も発揮されますし、落ちこぼれにくくなるでしょう。複雑な意味内容が説明できるようになると、様々な科目への適用も可能となるでしょう。わかるまで説明してもらえることの恩恵は大きいと思います。

本書の序盤で触れた米国のバーチャルナースは、退院する患者に、退院後どのように過ごせばよいかというインストラクションを行う対話システムです。このシステムはタッチパネルを入力とした簡単な作りでしたが、人間の看護師よりもこちらのシステムのほうがよいという声があったそうです。また、実際にこのシステムによってインストラクションを受けた患者のほうが再入院の割合が少なかったそうです。この理由はちゃんとわかるまで聞けたことにあります。人間の看護師は忙しく、患者が分かるまで付き合うことはできません。また、患者も忙しそうな看護師にしつこく質問することができません。このことは、時間をいくらでも取れる対話システムだからこそのメリットだと言えます。

教育用の対話システムの可能性を示すものとして、ホロコースト生存者を再現した対話システムがあります。このシステムは、ホロコースト生存者のオーラルヒストリーを対話システムとして再現したもの。ある生存者に着目し、その方をCGで再現し、一問一答のやり取りを実現します。高度な対話ができるわけではないのですが、リアリティのある映像と作りこまれたやり取りを実現することで、当時の状況や感情、価値観といったものが伝わってきます。このシステムはホロコースト博物館・教育センターに実際に設置されました。本で読んだり、テレビで生存者から当時の悲惨な状況を知ることはありますが、実際にやり取りすることは経験に大きな違いがあります。アンケート調査の結果によれば、生存者本人が語った場合と、システムが語った場合の印象に大きな違いはなかったとのこと。インタラクティブな体験は学習によい効果があるのです。なお、国内でも、被爆者の経験を聴くことができるシステムが作られているとのことです。

学校ではしばしばディスカッションが行われます。ディスカッションでは対話によって、新しい気付きを得たり、論理的な思考を学ぶことができます。これからの対話システムはディスカッションを行うことも可能になるでしょう。ＩＢＭの「ディベーター（Debater）」というプロジェクトがあります。クイズ王に勝利したワトソン（Watson）の後継のプロジェクトであり、様々な論点について人間と議論をするシステムが構築されています。現状の対象となっているのは、主張と反論のスピーチを繰り返すような形式のディベート。まだ人間のほうがよいスピーチができていますが、そのうち丁々発止のやり取りが行えるようになるでしょう。人工知能は大量の知識にアクセス可能ですので、議論に勝つのは困難になると思います。私は以前、ディスカッションを行うロボットの研究をしていました。その時は、私と二体のロボットが議論で戦う設定でしたが、二体のロボットが立て続けに理詰めで話してこられると人間は勝てないなと感じたものです。今後の人間は、問題解決のため、人工知能と合意形成を行っていくようになるのだと思います。

新型コロナウイルスと雑談AI

新型コロナウイルスによって私たちの生活は大きく変わりました。特に対面で対話をすることが減りました。ほぼすべての打ち合わせがリモート会議になりましたし、対面であってもソーシャルディスタンスを維持し、それほど長いやり取りは行いません。学会もオンライン開催になり、以前のように通りすがりに廊下で話し込んだり、誰かの席に行って話すこともなくなりました。

「新型コロナウイルス」と「雑談」というキーワードでウェブ検索をすると大量にページがヒットします。どのページでも会社などで雑談が減ってしまいどうすればよいのか、といった内容。これまで当たり前に存在していた雑談の重要性に目を向けざるを得なくなっている現状が分かります。特に課題となっているのは、対話相手の人となりが分からないとか、部下の心配事に気づけないといったことです。このために、雑談のためのウェブ会議を設定したり、ウェブ会議の中であえて雑談の時間を設けるといった方法が提案されています。私もなるべく打ち合わせの前後に雑談を挟むようにしていますが、参加者もほかに会議が入っていたりしますし、相手も私の雑談に付き合っている暇はないかもしれないので、そうそう長く引っ張ることもできません。

ウェブ会議を中心としたコミュニケーションでは、雑談が担ってきた人間関係構築がかなり脅かされていると言えるでしょう。問題としては三つあると思います。

一つ目は、話す「きっかけ」の問題です。雑談がよく起こるシチュエーションはメイン課題の前後、もしくは、偶然に居合わせたといったものが中心です。たとえば、打ち合わせの帰りの電車の中や食堂や自動販売機の前でばったり会うという状況です。こういった状況では、一緒にいて終始無言でいるほうが不自然であり、自然に会話を始めることができます。また、何かの意図を持って話しかけているわけではないので、先入観なくフラットに話すことができます。これは幅広い話題を扱う雑談にとっては理想的です。しかし、コロナ禍では、このようなきっかけがめっきり少なくなりました。無理やりきっかけを作ることは効果があるかもしれませんが、無理やり感が出ることは否めません。

二つ目は、会話の「量」の問題です。社会浸透理論によれば、人間は徐々に自分自身のことを話していき、それをお互いに繰り返すことで仲が深まっていきます。最初は出身や自分の仕事の話をしていたけれど、そうしているうちに、友達のことや自分のコンプレックス、将来の夢、などを話していくという流れです。米国の研究者ピーター・L・バーガーは、初対面の人との最初の15分、その次の15分、といったように15分刻みに、自分ならどのような発言をすると思うかというアンケートを行いました。それによれば、「私はニューヨーク出身です」といった対外的な内容は真っ先に触れ、一時間くらい経つと、「偏見のある人は愚かだ」「私は感情的な方だ」といった主観的な意見を言うようになり、二時間経つと、「私の息子はマリファナで捕まった」「子どものために離婚しないでいる」などの込み入った話題を話すようになるとのことです。これは米国人を対象にした調査ですが、日本人を対象に行った調査でも、自己開示の量は日本人のほうが少なかったものの、似たような傾向でした。ウェブ会議では雑談の時間が十分確保できず、仲良くなりづらいと言えるでしょう。

三つ目は、会話の「質」の問題です。人間同士の対面対話では様々な情報が用いられています。相手の話している内容だけでなく、音声の抑揚、表情、身振り手振り、体の動きなどです。複数名で会話をする場合は陣形とも言いますが、体の向きも重要です。ウェブ会議では、これらの情報が制限されてしまい、意思疎通が難しくなります。ニュアンスが重要となるような込み入った話は困難です。

このように、会話のきっかけ、量、質において問題が生じており、従来の雑談で実現してきた人間関係の構築が困難になっていると言えます。もともとよく知っている相手であればよいのですが、新たなコミュニティに参加し、新しく人間関係を構築する場合の障壁は高いと言わざるを得ません。

コロナ禍において、雑談ＡＩはどのような貢献ができるでしょうか。まず、人間同士のコミュニケーションの仲介や活性化に利用できる可能性があります。ディスカッションのモデレータやビジネスチャットツールであるスラック上での話題提供として稼働している対話システムがすでにあります。多様な話題について話すきっかけになるかもしれませんし、全員に話す機会を提供できる可能性もあります。また、人間のコミュニケーション力の支援にも利用できるでしょう。会話の機会が減ってしまうと、会話自体が億劫《おっくう》になり、話し下手になってしまいます。対話システムによる会話トレーニングのシステムも研究が進められており、人間の会話の能力を高めることができれば、ウェブ会議のようなコミュニケーションが取りづらい場でも、意思疎通が円滑になるかもしれません。雑談ＡＩは人間と話すだけでなく、人間同士のコミュニケーション活性化にも大きく寄与できるのではないかと考えています。

余談ですが、ＮＴＴでは15年ほど前、未来の電話と銘打って「ｔ－Ｒｏｏｍ」と呼ばれるテレビ電話システムを研究していました。これは、壁一面を縦に置いた大画面ディスプレイで敷き詰めた部屋を作り、その中で等身大に映った遠隔にいる相手と会話ができるというもの。まるで相手がその場にいるように見え、また、目線なども合うように作られていたため、リアルな対話体験ができました。しかし、コスト面が見合わなかったからか、サービス化には至っていません。当時はその必要性もそこまで伝わらなかったのかもしれません。会話のきっかけ、量、質を考えれば、今こそ実際に会っているかのように会話ができるシステムが必要なのではないかと思います。

作ってわかる人間のすごさ

システムを実際に作りながらその原理を追求する研究を構成論的研究と言います。対話システムの研究はまさに構成論的研究です。私も20年ほど対話システムを作り続けてきましたが、人間のすごさに圧倒される毎日です。圧倒されるケースはやはり人間同士の対話や人間とシステムの対話を見たときです。

　対話破綻検出について紹介したときにも述べましたが、現状のシステムの対話は多くの場面で破綻を引き起こします。質問に答えられなかったり、発話の意図が分からなかったり、変な話題に飛んでしまったりします。しかし、何が人間のすごいところかというと、そういった状況でも対話を続けることができることです。もちろん、対話システムと話すための被験者として呼ばれているために、対話を途中で打ち切らないという側面もありますが、それよりも、システムがどう考えてそれを言ったのか、うまく対話を続けるにはどうしたらよいかを考慮し、自然に対話を継続させることができます。マツコ・デラックスさんと雑談ＡＩとの会話でも何度もシステムは変な発話を行いましたが、マツコさんはそれでも会話を続け、さらに場を盛り上げる様子を目にしたときには神業だと思いました。

　対話システムの目線に立てば、状況の理解、対話内容の理解、対話相手の理解をしたうえで、何を話せばよいかを考え、適切なタイミングで返答する、ということを一瞬でやっているわけです。どういう知識が入っていて、どのようなロジックで話しているのかを実際に頭を開いて見てみたい思いです。脳機能イメージングの分野で、人間の言語処理過程も少しずつですが、解明されてきていると聞いていますので、今後は、このような知見も踏まえて対話システムの構築を行うことになるのかもしれません。

対話知能学の研究では、人間同士の対話を収集しています。旅行代理店課題に着目しているので、オペレータ役とお客さま役との対話を集めています。この中で、お客さま役のユーザを、子どもから高齢者までさまざま変えてデータを収集しているのですが、その際のオペレータの話し方の違いに愕然《がくぜん》とします。若者と話すとき、オペレータはいわゆる普通のオペレータとしての会話をしているのですが、相手が子どもになると声のトーンから話し方から表情まですべて変わります。「今日はどこに行きたいのかな？」「目的地ってわかる？」といった子ども目線の話し方をします。さっきまで若者を相手に話していた話しぶりからは全く別人のよう。そして、同じ人が高齢者と話しているデータを見るとまた違う話し方をしています。相手によってこれほど話し方が変わるのかと思います。対話システムでいえば、相手に応じて全く異なるシステムになっているようなものです。人間の相手に応じた切り替えの能力は凄《すさ》まじいものがあります。

人間はお互いの理解の確認を対話でなんなくこなします。対話課題の中で、地図課題が有名です。一方にはランドマークと経路を示した地図を渡し、もう一方にはランドマークのみが書かれた地図を渡します。その上で、経路を持っている方が、もう一方に経路を伝えるという課題です。もちろん、この課題は声だけで行いますので、相手の地図は見えません。会話の中で、経路を伝える必要があります。自分の指しているものをちゃんと相手が見ているのかを確認しながら、時に齟齬が生じても、修正し、経路が伝わっていく過程は感動モノです。加えて、対話の中では新しい概念が出てくることがあります。しかし、そういった場合でもそれが何かをやり取りし、もうその後はお互いにその言葉を使ってやり取りをしたりするのです。システムは一度作ると更新することは難しいのですが、人間の知識はリアルタイムに更新されていきます。

私はロボット対話システムも構築してきていますが、その構築には多くの専門家が必要でした。私は言語処理が専門ですので、まずマイクの専門家に相談。インテリジェントマイクと呼ばれるノイズに強いマイクを使わせてもらいました。対話システムではよく自分の声を拾ってしまい、それに反応してしまうのですが、このマイクを使うことでこの問題に対応できました。音声認識・音声合成も社内の専門家に相談し、ＮＴＴの最新のものを使わせてもらいました。ロボットについては、共同研究で石黒研究室のロボットを使います。これらの複数のモジュールが連携をとれるようにメッセージングのプロトコルを設計し、やり取りができるようにしました。システムを動かすために、何台ものマシン、ロボット、ケーブル類など非常に多くの機材を要し、デモのたびに多くの物資を配送せねばなりませんでした。人間はもっと複雑な機構を持ちつつ、小さな体でそれを実現しています。ソフトウェアだけでなく、人間はハードウェアも本当にすばらしいと感じます。人間同士の対話を見た後、自分の作ったシステムと人間との対話を見ると、「こんなシステムでごめんなさい」と申し訳ない気持ちになります。人間が長い年月をかけて培ってきた対話という技術を少しずつでも解明し、人間の対話能力に近づきたいと願っています。

対話システムと作る社会

本書では、ＡＩが社会の一員としてうまくやっていくためという雑談ＡＩが生まれた背景に始まり、要素技術や課題、今後の展開について順を追って説明してきました。雑談ＡＩの構成、ユーザ発話の理解や対話行為や質問の分類、機械学習やディープラーニングを用いた方法について紹介しました。システムが発話を生成する手法として検索やディープラーニングに基づくものについても説明しました。個性を実現したり、不適切なことを言わないための方法についても触れました。「なりきりＡＩ」についても紹介し、キャラクタ性を持ったＡＩがどのように作られるのかについても述べました。対話破綻検出チャレンジや対話システムライブコンペティションなどの営みを通して、現在の課題についても述べました。今後のロードマップについても述べました。

多くの課題はあるものの、私は雑談ＡＩの未来は明るいと感じています。技術は着実に進化していますし、コンピュータとの雑談はこれから必須《ひっす》のものになっていくと思われるからです。

これからのコンピュータは、より一層身の周りに存在するようになるでしょう。スマートフォンはもはや体の一部といってよいくらい持ち歩いている人も多いと思いますが、これからさらに、高度なＡＩを搭載したコンピュータが身の回りに増えてくるでしょう。知的なコンピュータと我々のやり取りは、人間同士のような音声言語を用いた対話によるコミュニケーションが基本となります。そうした時、コンピュータに何を任せるかを決定するのは日ごろからの信頼であり、ベースとなるのは雑談によるやり取りです。

お互いを理解し合うことで、より良い作業ができるのは人間でもコンピュータでも同じこと。今後は、「人間のあいつと組むよりこのコンピュータとチームを組もう」とか「ここは人間とコンピュータの混合チームで行こう」といったことが起こると思います。これはディストピアではなく、人間とコンピュータがお互いのよいところを引き出せるようになるという話です。

人間がコンピュータとともに社会を創造していくようになるでしょう。創造というと、芸術といったアーティスティックなものを想像するかもしれませんが、ここでは何かしらを一緒に作っていくという意味で使っています。どんなに単純な日常的なものでも、たとえば、一緒に料理をしたり、物を運んだり、予定を決めたりといったものであっても創造です。そして、そのベースには雑談で培った信頼があります。社会そのものが雑談ＡＩとともに形成されていくのです。

「本当か？」と思う人もいると思いますが、もはやコンピュータとのやり取りで世界は作られ始めています。検索エンジン、機械翻訳、各種のサジェスト機能、そういったものを我々はある程度信用し、日常の判断を行っています。こういったものが、統合され、会話によってやり取りができるようになるだけです。そう考えると、「そんな世界になるかも」と思いませんか。そうした時、どのシステムと話したいでしょうか？　どのシステムが信頼できるか、あなたはどうやって決めるでしょうか？　そこで雑談が出てくるはずです。

私は共通基盤の構築が創造的な対話の第一歩だと考えています。一緒に何かができるようになっていくためには、お互いの理解を積み上げていけることが最重要です。共通基盤の構築を通して、人間とコンピュータが手を取り合って、よりよい社会が実現できるようにしていきたいと考えています。

おわりに

ＮＴＴの研究所に入所したころを思い返すと、対話システムをこれほど長く研究するとは考えていませんでした。もともと言葉が好きだったので、機械翻訳の研究をしたかったのですが、配属されたのが対話システムの部署でした。しかし、研究を始めてみるとこれが面白く、もうかれこれ20年。でも分からないことばかりです。

入社してすぐはタスク指向型対話システムの研究をしていました。会議室予約システムが一番初めに作ったシステムで、音声認識器の語彙《ごい》も数十程度。研究所に被験者を呼んで、会議室を予約する対話をしてもらうという毎日でした。その後、インターネットにおける大量の情報を用いた研究が盛んになり、質問応答システムの研究を始めました。これは、ユーザの質問に答える技術の研究です。「なぜ空は青いのか？」にどうやって答えよう、そんなことばかり考えていました。

そうこうしているうちに、計算機の性能が改善し、ビッグデータが扱えるようになり、音声認識の精度が飛躍的に向上。NTTドコモの「しゃべってコンシェル」の質問応答機能の開発に携わるようになりました。そうしたら、ユーザは質問だけでなく、雑談もするということが分かり、雑談プロジェクトが開始されることになりました。

私は現在大学に移りましたが、学生と一緒に、相変わらず対話システムについて考えています。

「どうして対話の研究をしているのですか？」とよく聞かれます。そんな時、「人間がどうして対話ができるのかを知りたい」と答えてきました。しかし雑談の研究を通して、対話がどれほど社会に密接に関係しているかに気付かされました。今では、対話ができるだけでなく、「人間がどのように対話を通して社会を形作っているか」にも強い興味があります。

対話システムは20年の間で格段の進化を遂げました。しかし、システムと人間の関係性はまだあまり変わっていません。対話システムはツールであって、少なくとも仲間という感覚ではありません。しかし、人工知能の進化とともに、そろそろ変わっていくのではないかと思います。本書を通じて、読者のみなさまにもそのような感覚を持っていただけたのであれば幸いです。

本書の執筆にあたり多くの方にお世話になりました。ＮＴＴ研究所のメンバーとは今も一緒に対話システム研究をしています。本書で紹介したシステムのほとんどは彼らと一緒に作ったものです。共に研究してきた日々がなければ、本書も存在しえませんでした。あらためて感謝いたします。対話システムのサービス化にあたっては、ＮＴＴドコモの皆様に大変お世話になりました。

いくつものプロジェクトを共同で進めてきた大阪大学の石黒浩先生と石黒研究室のみなさまからは数多くの刺激をいただきました。また、なりきりＡＩのプロジェクトを一緒に進めているドワンゴのみなさま、イベントにもご参加いただきプロジェクトを応援してくださっている角川歴彦《かどかわつぐひこ》氏に心から感謝します。対話システムのコンペティションを共同で企画・運営しているメンバーの皆様にも、この場を借りてお礼を申し上げたいと思います。いつもありがとうございます。

執筆中、本書の編集を担当してくれたＫＡＤＯＫＡＷＡの廣瀬《ひろせ》暁春《あきはる》さんにはマネージャーのように伴走していただきました。拙い草稿にコメントをくださった、ＮＴＴの時の上司である中野《なかの》幹生《みきお》さん、ドワンゴの川端秀寿さん、安達《あだち》敬武《のりたけ》さん、ＮＴＴ研究所の成松《なりまつ》宏《ひろ》美《み》さん、有本庸浩《ありもとつねひろ》さん、京都大学の児玉貴志《こだまたかし》さん、的確なご意見をありがとうございました。そして、日ごろのディスカッションを行うゼミの学生たち。彼らが示してくれる興味や共感が原稿を書き進めるうえでの大きな支えになりました。

最後に、すべての方のお名前を挙げることはできませんが公私ともに研究を支えてくださっている方々に感謝申し上げます。

２０２０年11月

東中　竜一郎

主要参考文献

小磯花絵、石本祐一、菊池英明、坊農真弓、坂井田瑠衣、渡部涼子、田中弥生、伝康晴「大規模日常会話コーパスの構築に向けた取り組み —会話収録法を中心に—」『言語・音声理解と対話処理研究会』2015, 74: 37-42.

東中竜一郎、稲葉通将、水上雅博『Pythonでつくる対話システム』オーム社、２０２０年

奥村学（監修）、中野幹生、駒谷和範、船越孝太郎、中野有紀子（著）『対話システム　自然言語処理シリーズ7』コロナ社、２０１５年

ロビン・ダンバー（著）、藤井留美（訳）『友達の数は何人？——ダンバー数とつながりの進化心理学』インターシフト、２０１１年

Timothy Bickmore, Justine Cassell, "Relational agents: a model and implementation of building user trust", *Proceedings of the SIGCHI conference on Human factors in computing systems*, 2001: 396-403.

東中竜一郎「チューリングテスト『合格』のシステム」『情報処理』2014, 55 (9): 904-907.

新井紀子、東中竜一郎（編）『人工知能プロジェクト「ロボットは東大に入れるか」――第三次ＡＩブームの到達点と限界』東京大学出版会、２０１８年
石崎雅人、伝康晴（著）、辻井潤一（編）『談話と対話　言語と計算３』東京大学出版会、２００１年
河原達也、荒木雅弘（著）、人工知能学会（編）『音声対話システム　知の科学』オーム社、２００６年
杉山弘晃、成松宏美、菊井玄一郎、東中竜一郎、堂坂浩二、平博順、南泰浩、大和淳司「センター試験を対象とした高性能な英語ソルバーの実現」『言語処理学会 第26回年次大会発表論文集』2020: 371-374.
大西可奈子、吉村健「コンピュータとの自然な会話を実現する雑談対話技術」『ＮＴＴ ＤＯＣＯＭＯテクニカル・ジャーナル』2014, 21 (4): 17-21.
東中竜一郎、貞光九月、内田渉、吉村健「しゃべってコンシェルにおける質問応答技術」『ＮＴＴ技術ジャーナル』2013, 25 (2): 56-59.
奥村学（監修）、磯崎秀樹、東中竜一郎、永田昌明、加藤恒昭（著）『質問応答システム　自然言語処理シリーズ２』コロナ社、２００９年
東中竜一郎、船越孝太郎、荒木雅弘、塚原裕史、小林優佳、水上雅博「テキストチャットを

用いた雑談対話コーパスの構築と対話破綻の分析」『自然言語処理』2016, 23 (1): 59-86.

東中竜一郎、船越孝太郎、小林優佳、稲葉通将「対話破綻検出チャレンジ」『言語・音声理解と対話処理研究会』2015, 75: 27-32.

今村賢治、東中竜一郎、泉朋子「対話解析のためのゼロ代名詞照応解析付き述語項構造解析」『自然言語処理』2015, 22 (1): 3-26.

内田貴久、港隆史、石黒浩「対話アンドロイドに対する主観的意見の帰属と対話意欲の関係」『人工知能学会論文誌』2019, 34 (1): B-I62_1-8.

光田航、東中竜一郎、富田準二「雑談対話における言外の情報の収集と類型化」『人工知能学会論文誌』2020, 35 (1): DSI-E_1-10.

宇佐美まゆみ（編）『自然会話分析への語用論的アプローチ――ＢＴＳＪコーパスを利用して』ひつじ書房、２０２０年

目黒豊美、東中竜一郎、堂坂浩二、南泰浩「聞き役対話の分析および分析に基づいた対話制御部の構築」『情報処理学会論文誌』2012, 53 (12): 2787-2801.

東中竜一郎「雑談対話システムに向けた取り組み」『言語・音声理解と対話処理研究会』2014, 70: 65-70.

Chiaki Miyazaki, Toru Hirano, Ryuichiro Higashinaka & Yoshihiro Matsuo, "Towards an

Entertaining Natural Language Generation System: Linguistic Peculiarities of Japanese Fictional Characters", *Proceedings of the 17th Annual Meeting of the Special Interest Group on Discourse and Dialogue*, 2016: 319-328.

宮崎千明、平野徹、東中竜一郎、牧野俊朗、松尾義博、佐藤理史「文節機能部の確率的書き換えによる言語表現のキャラクタ性変換」『人工知能学会論文誌』2016, 31 (1): DSF-E_1-9.

角森唯子、東中竜一郎、吉村健、礒田佳徳「ユーザ情報を記憶する雑談対話システムの構築とその複数日にまたがる評価」『人工知能学会論文誌』2020, 35 (1): DSI-B_1-10.

東中竜一郎、堂坂浩二、磯崎秀樹「対話システムのための『なりきり質問応答』を用いた質問応答ペアの収集とその応用」『言語処理学会第16回年次大会発表論文集』2010: 920-923.

Ryuichiro Higashinaka, Masahiro Mizukami, Hidetoshi Kawabata,Emi Yamaguchi, Noritake Adachi & Junji Tomita, "Role play-based question-answering by real users for building chatbots with consistent personalities", *Proceedings of the 19th Annual SIGdial Meeting on Discourse and Dialogue*, 2018: 264-272.

東中竜一郎、船越孝太郎、稲葉通将、角森唯子、高橋哲朗、赤間怜奈、宇佐美まゆみ、川端良子、水上雅博「対話システムライブコンペティションから何が得られたか」『人工知能』2020, 35 (3): 333-343.

金水敏『ヴァーチャル日本語――役割語の謎』岩波書店、２００３年
大瀧光、大武美保子「対話型共想法支援システムにおける質問応答機能の開発と評価」『人工知能学会全国大会論文集』（第31回全国大会）2017: 1B1-OS-25a-3.
デービッド・トラウム（著）、人工知能学会編集委員会（訳）「双方向型歴史学習の支援のための対話システム技術の活用」『人工知能』2016, 31 (6): 806-812.
ブライアン・クリスチャン（著）、吉田晋治（訳）『機械より人間らしくなれるか？――ＡＩとの対話が、人間でいることの意味を教えてくれる』草思社、２０１２年
筒井佐代『雑談の構造分析』くろしお出版、２０１２年
Suzanne Eggins, Diana Slade, *Analysing Casual Conversation*, Equinox, 2005.
Robert Epstein, Gary Roberts, Grace Beber (eds), *Parsing the Turing Test: Philosophical and Methodological Issues in the Quest for the Thinking Computer*, Springer, 2008.

本書は書き下ろしです。

東中竜一郎（ひがしなか・りゅういちろう）
慶應義塾大学環境情報学部卒。同大学大学院政策・メディア研究科博士課程を修了し、博士（学術）を取得。日本電信電話株式会社NTTコミュニケーション科学基礎研究所・NTTメディアインテリジェンス研究所上席特別研究員を経て、名古屋大学大学院情報学研究科教授。NTT客員上席特別研究員、慶應義塾大学環境情報学部特別招聘教授。専門は対話システム。平成28年度科学技術分野の文部科学大臣表彰「科学技術賞（開発部門）」受賞。著書に『おうちで学べる 人工知能のきほん』、共著・共編著に『質問応答システム』『人工知能プロジェクト「ロボットは東大に入れるか」第三次AIブームの到達点と限界』『Pythonでつくる対話システム』がある。

AIの雑《ざつ》談《だん》力《りよく》

東《ひがし》中《なか》竜《りゆう》一《いち》郎《ろう》

2021年 2月10日 初版発行
2024年10月20日 3版発行

◆◇◇

発行者 山下直久
発 行 株式会社KADOKAWA
〒102-8177 東京都千代田区富士見2-13-3
電話 0570-002-301（ナビダイヤル）

装 丁 者 緒方修一（ラーフイン・ワークショップ）
ロゴデザイン good design company
オビデザイン Zapp! 白金正之
印 刷 所 株式会社KADOKAWA
製 本 所 株式会社KADOKAWA

角川新書
 ISBN978-4-04-082306-5 C0250